FULLMETAL ALCHEMIST

FULLMETAL ALCHEMIST

Ein neuer Anfang

INHALT

Kapitel 1

Ein Neubeginn

Ein trockener Wind zog durch die Bergregion. Die Sonne brannte auf die Felsen hernieder und die Luft flimmerte vor Hitze. Dort im Süden von Amestris befand sich die Stadt Rush Valley.

Fast täglich kamen Reisende und Händler mit dem Zug in diese Stadt, die für ihre national führende Eisen- und Stahlindustrie bekannt war, während andere sie wiederum verließen. Doch selbst in dem mit Menschen überfüllten Bahnhof herrschte immer dann für eine Weile Stille, wenn ein Zug abgefahren war.

Der Schatten des Dachs fiel auf den verwaisten Bahnsteig. In einer Ecke war ein Mädchen gerade dabei zu telefonieren.

»Ja, genau. Ed und Al sind in Dublith. Und ich will gleich zu dem Laden, den man mir empfohlen hat.«

Vielleicht hatte es ein inniges, vertrautes Verhältnis zu seinem Gesprächspartner, denn das Mädchen lachte gelegentlich, wenn es sprach. Dabei kniff sie jedes Mal ihre klaren, hellblauen großen Augen ein Stück weit zusammen und ihr im Nacken gebundener langer blonder Pferdeschwanz wippte geschmeidig über ihren Rücken.

Die an ihren Ohren glitzernden silbernen Ohrstecker passten gut zu ihren hübschen Gesichtszügen und zu ihrem weißen Spaghettiträgertop, das sie zu einem kurzen schwarzen Rock trug. Der Anblick des Mädchens, das aufgeweckt ins Telefon sprach, brachte seine Munterkeit gut zum Ausdruck.

»Jaja, ich weiß. Das klappt schon ... Du auch, Oma! Ich meld mich dann wieder!«

Nachdem das Mädchen – Winry Rockbell – seiner Gesprächspartnerin am anderen Ende der Leitung wiederholt zugelächelt hatte, legte es den Hörer auf.

»Wo der Zug die beiden wohl hingebracht hat …?«

Winry folgte den Gleisen, die vom Bahnsteig wegführten, mit den Augen. Vorhin erst hatte sie dem Zug, der von hier abgefahren war, zum Abschied nachgesehen.

»Mach mir einen noch besseren, wenn wir uns das nächste Mal sehen!«, hatte ihr Kindheitsfreund Edward, auf seinen rechten Arm zeigend, gesagt und war zusammen mit seinem jüngeren Bruder Alphonse in diesen Zug gesprungen.

Edwards rechter Arm und sein linkes Bein waren Automails, wohingegen Alphonse überhaupt keinen Körper aus Fleisch und Blut mehr besaß und als Stahlrüstung unterwegs war. Auf der Suche nach einer Methode, in ihre alten Körper zurückzukehren, waren die beiden vor einigen Jahren zu einer Reise aufgebrochen. Als Automail-Mechanikerin unterstützte Winry die Brüder bei ihrem Vorhaben unauffällig aus dem Hintergrund. Seit sie ihre Eltern, die beide Ärzte gewesen waren, verloren hatte, als sie noch klein war, wurde sie von ihrer Großmutter Pinako, einer Automail-Mechanikerin, großgezogen und arbeitete in ihrem Heimatdorf Resembool ebenfalls die ganze Zeit als Mechanikerin.

Doch jetzt gerade stand Winry im Bahnhof von Rush Valley, fernab der Gegend, in der sie geboren worden und aufgewachsen war.

»Wiiinry! Wollen wir dann looos?!«, rief eine Stimme von der Bahnsteigsperre aus. Paninya, ein Mädchen, das sie in dieser Stadt kennengelernt und das Edward und Alphonse mit zum Bahnhof begleitet hatte, winkte herüber.

Damit die Brüder so schnell wie möglich in ihre früheren Körper zurückkehren konnten, wollte Winry weiter an ihren Fähigkeiten feilen, um gute Automails bauen zu können. Deshalb hatte sie beschlossen, in Rush Valley eine Lehre zu beginnen.

Der Alltag in einer unbekannten Stadt und eine Lehre fernab der Familie. Alles würde nunmehr zu einer neuen Erfahrung für sie werden.

In einer leichten Kurve verschwanden die Gleise zwischen den zerklüfteten Bergen, während in weiter Ferne schwarzer Rauch in den Himmel stieg.

Winry fragte sich, ob er vielleicht von dem Zug kam, in den die Brüder gestiegen waren.

Sie spürte durchaus Unsicherheit und Angst. Doch als sie den Rauch betrachtete, der mit dem Blau des Himmels zu verschmelzen schien, lösten sich auch diese Gefühle ein Stück weit auf. An ihrer Stelle breiteten sich in ihrer Brust Erwartungen daran aus, was die Lehre ihr alles bringen würde.

»Ookay! Dann will ich mich auch mal anstrengen!«, feuerte Winry sich selbst an und lief munter in Richtung der Bahnsteigsperre los, wo Paninya auf sie wartete.

»Uwah, ist das hell!«

Als Winry das Bahnhofsgebäude verließ, wurde sie von den kräftigen Sonnenstrahlen begrüßt, die für den Süden typisch waren. Sie hielt eine Hand an ihre Stirn, um das Licht abzuschirmen, und erblickte daraufhin die nackten Felswände, die um die Stadt herum in die Höhe ragten.

Rush Valley lag inmitten von Bergen, die reich an Mineralien waren. An den Felswänden ließen sich Spuren des Abbaus erkennen und auch jetzt waren die Vorkommen noch nicht erschöpft.

Mineralien genossen zwar auf den unterschiedlichsten Einsatzgebieten eine hohe Wertschätzung, doch in dieser Stadt wurden sie hauptsächlich für künstliche Gliedmaßen verwendet.

Sah man von medizinischen Hilfsmitteln ab, die den Anwender bei der Bewegung unterstützten, ließen sich künstliche Gliedmaßen, die man anstelle von verlorenen Extremitäten am Körper befestigte, grob in zwei Kategorien einteilen. Bei der einen handelte es sich um Automails, die sich durch elektrische Impulse von den Nervenenden her uneingeschränkt bewegen ließen. In die andere gehörten gewöhnliche Prothesen aus Stahl oder Holz. Die Technik für beide Arten hatte sich im Zusammenhang mit dem großen Bürgerkrieg vor mehr als zehn Jahren entwickelt und gleichzeitig war auch Rush Valley sprunghaft zu einer Großstadt angewachsen.

In Rush Valley, das auch als ›Tal des plötzlichen Aufschwungs‹ oder ›Mekka für Automail-Mechaniker‹ bezeichnet wurde, reihte sich ein Laden für Prothesenausstattung an den nächsten, und sogar auf den wenigen Ebenen zwischen den zerklüfteten Bergen der Umgebung standen Werkstätten dicht an dicht. Die Straßen quollen vor Menschen förmlich über und geschäftige Stimmen flogen hin und her.

Während Paninya, die in dieser Stadt aufgewachsen war und daran gewöhnt schien, sich durch die Menschenmenge schlängelte, drehte sie sich zu Winry um: »Dein Gepäck hast du doch zur

Aufbewahrung im Hotel gelassen, oder? Wollen wir es erst holen und dann zum Laden gehen?«

»Ja! Das wäre gut!«

»Hm ja, dann nehmen wir doch diese Abkürzung hier!«

Paninya, die sich angeboten hatte, Winry zu ihrer Lehrstelle zu bringen, verschränkte die Finger hinter dem Rücken und bewegte sich leichtfüßig hüpfend weiter. Ihre beiden Beine bestanden aus Automails und hätte man es nicht gewusst, wäre man nie auf die Idee gekommen, dass darin Kanonen vom Typ Feldschlange und Messer eingebaut waren. Solche Automails ließen sich ohne ausgereifte Fähigkeiten nicht bauen und der Mann, der sie hergestellt hatte – ein gewisser Dominic – hatte auch Winry an ihre neue Lehrstelle vermittelt.

In Rush Valley gab es eine Menge Mechaniker wie Dominic, die über hervorragende Techniken verfügten. Während sie vor ihren Läden mit Schraubenschlüsseln hantierten, führten sie ihre Künste vor und erhoben manchmal ihre Stimmen, um fleißig Kundschaft anzulocken: »Kommen Sie, kommen Sie! In meinem Trödelladen hier ist gerade Sonderverkauf!«

»Hey, junger Mann, wollen Sie Ihre Automail nicht gegen dieses neue Modell tauschen? Welche Ware Sie auch immer bestellen – ich kann sie bauen! Verlassen Sie sich drauf!«

»Bei mir sind Bewertungen und Kostenvoranschläge umsonst! Kauf auf Kredit ist auch okay!«

Es gab nicht nur Läden, die Automails oder gewöhnliche Prothesen herstellten, sondern auch solche, die sich mit Recycling oder der Vergabe von Krediten beschäftigten, und sogar Maler, die ihren Lebensunterhalt damit verdienten, für die Automail- und Prothesenläden Schilder zu gestalten. Man konnte schon fast sagen, dass sich in dieser Stadt wahrhaft alles um künstliche Gliedmaßen drehte.

Selbstverständlich kamen auch viele Kunden zusammen, die aus allen Regionen von Amestris stammten. Sie feilschten vor den Läden um Preise oder gaben detaillierte Bestellungen bei den Mechanikern auf, um so an die künstlichen Gliedmaßen zu kommen, die sie sich vorstellten. Rush Valley – die gesamte Stadt kochte von der ungestümen Leidenschaft auf Verkäufer- wie auf Käuferseite.

»Beeindruckend ...«

Obwohl sie bereits mit Edward und den anderen einen Spaziergang durch die Stadt unternommen hatte, fühlte sich Winry erneut von der hitzigen, die Umgebung erfüllenden Energie überwältigt. Während sie staunend von der Welle aus ihr unbekannten Menschen weitergetragen wurde, zogen mehrere Kinder an ihr vorbei.

»Mädchen, lass uns vorbei, lass uns vorbei!«

»Ah, tut mir leid!«

Hastig wich sie ihnen aus, blickte in die Richtung, in die sie unterwegs waren, und bemerkte eine Menschenansammlung, die sich auf einer Freifläche gebildet hatte. Als sie hindurchspähte, sah sie, dass gerade Wettkämpfe im Gewichtheben mit Automail-Armen abgehalten wurden. Unter Wetteinsatz um die Stärke von Automails wetteifern – solch ein Event war typisch für diese Stadt.

Bei den wartenden Teilnehmern, den bei den Wettkämpfen zuschauenden Kindern und den Mechanikern, die darauf lauerten, die Verlierer dazu zu bringen, ihre kaputten Arme in ihren und keinen anderen Werkstätten reparieren zu lassen, war die Stimmung sehr ausgelassen.

»Wow, woraus die Verkleidung von den Automails da wohl gemacht ist?«

Unwillkürlich hatte die Menschenmenge auch Winrys Aufmerksamkeit auf sich gezogen, sodass das Mädchen seine Schritte verlangsamte. Sie versuchte bei den Wettkämpfen zuzusehen, indem sie mit einem Auge zwischen den Zuschauern hindurchlugte, als sie plötzlich mit jemandem zusammenprallte.

»Kyah!«

»Aah!«

Ein etwa zwölf bis dreizehn Jahre alter Junge war mit Winry zusammengestoßen. Vielleicht war er von den Wettkämpfen abgelenkt gewesen, als er aus einer Seitenstraße getreten war, denn er schien Winry, die seinen Weg gekreuzt hatte, nicht bemerkt zu haben.

Obwohl der Zusammenstoß nur ganz leicht gewesen war, prallte der Junge zurück und taumelte nach hinten.

»Ah, pass auf!« Als Winry hastig die Hand ausstreckte und ihn stützte, sah sie, dass er unter seine linke Achsel eine Krücke geklemmt hatte und unter seiner grünen Hose vom rechten Knie abwärts eine Beinprothese hervorlugte.

Sofort kam von hinten eine Frau mit freundlichen Gesichtszügen zu ihnen gelaufen, die nach der Mutter des Jungen aussah.

»Bitte entschuldige! Das Kind hat wohl nicht nach vorn geschaut … Hast du dich verletzt?«

Die Frau, die sich über ihrem Kleid eine kurze Jacke und ein kleines schlafendes Mädchen auf dem Rücken trug, verbeugte sich entschuldigend.

»Mit mir ist alles okay! Tut mir leid … Ich hab ja auch nicht aufgepasst. Tut dir etwas weh?«, fragte Winry bedauernd, weil sie nicht aufmerksamer gewesen war.

Der Junge schüttelte den Kopf.

»Mir tut es auch leid, dass ich in dich reingelaufen bin …«, sagte er kaum vernehmlich. Dann löste er sich von Winrys Hand, mit der sie ihn an der Hüfte gestützt hatte, richtete seine Krücke und entfernte sich. Die Frau verabschiedete sich ebenfalls von Winry, indem sie mit dem Kopf nickte, und ging zusammen mit dem Jungen davon.

»Willst du dir die Läden in der Straße dort drüben nicht mehr ansehen?«

»Nein …«

»Wirklich? Tja, dann lass uns woanders nach einem guten Laden suchen!«

Das Gespräch der beiden und das klopfende Geräusch, das die Spitze der Krücke auf dem harten Straßenbelag hinterließ, verklangen.

Als Winry einen Blick in die Seitenstraße warf, aus der Mutter und Sohn gekommen waren, sah sie, dass sich auch dort zahlreiche Werkstätten aneinanderreihten und große Schilder und Tafeln aufgestellt waren, auf denen Werbesprüche prangten.

Wahrscheinlich war der Junge auf der Suche nach einer Werkstatt, um seine Beinprothese anpassen oder sie gegen eine Automail austauschen zu lassen.

»Was ist los? Wolltest du dir noch einen Laden ansehen?«

Paninya, die ein Stück vorgegangen war, hatte sich Sorgen gemacht, weil Winry ihr einfach nicht folgte, und war zurückgekommen.

»Nee.«

Winry zog ihren Kopf wieder aus der Seitenstraße zurück und beeilte sich, zu Paninya aufzuschließen.

Das Gute an Rush Valley war, dass die Kunden eine breite Auswahl an Automails und Prothesen hatten, weil es so viele Geschäfte gab. Da würde der Junge bestimmt ebenfalls einen guten Laden finden können.

Die Konkurrenz unter den Händlern war indessen ziemlich hart, doch gerade deshalb war den Mechanikern keine Mühe zu groß, und während sie ihre Fertigkeiten vervollkommneten, trugen sie zur Entwicklung der Stadt bei. Hier zu studieren bedeutete, bis oben hin in hochwertige Technologien einzutauchen. Für Winry, die ihre Fähigkeiten verbessern wollte, gab es keinen besseren Ort für eine Lehre.

Langsam bekam das Mädchen Lampenfieber, also fragte sie Paninya, die neben ihr lief: »Sag mal, was für ein Laden ist dieses Atelier Garfiel eigentlich, zu dem wir jetzt gehen?«

»Ummh, wie soll ich das beschreiben …?« Bei Winrys interessierter Frage zu der Werkstatt, in der sie ihre Lehre machen würde, legte Paninya den Zeigefinger ans Kinn und sah zum Himmel hoch. »Ich selbst hatte zwar nie etwas mit diesem Laden zu tun, aber von außen sieht er ...« Da erinnerte sich das Mädchen an etwas, lächelte verschmitzt und hielt einen Finger in die Höhe. »... krass aus, würd ich sagen!«

»Was genau meinst du mit ›krass‹?«

»Das wirst du schon sehen, wenn wir da sind!«

Mit einem kurzen Blick auf Winry, die sie misstrauisch ansah, lief Paninya zügig los und unterdrückte tief in ihrer Kehle ein Lachen.

»Ah, warte!«

Winry folgte dem Mädchen und legte den Kopf schief. Dominic zufolge hatte der Ladenbesitzer sie anscheinend geradeheraus als Lehrling akzeptiert, weil er händeringend Helfer brauchte. Wenn das stimmte, hatte er vielleicht *krass* viel zu tun. Oder er war vielleicht *krass* streng bei der Arbeit. In jedem Fall wären wohl auch die technischen Fertigkeiten, die sie erwerben würde, wenn sie dort eine Lehre machte, wirklich ›krass‹.

Bei diesen Gedanken beschleunigten Winrys Füße wie von selbst ihre Schritte, während sie Paninya hinterherlief. Nachdem sie im Hotel ihr Gepäck abgeholt hatten, begaben sich die zwei in Richtung des Ladens und Winrys Herz hüpfte vor Erwartung.

Und dann, zwanzig Minuten später ...

»Wir sind dahaa!«

Grinsend zeigte Paninya mit dem Finger auf einen Laden. Winry, die neben ihr stand, machte große Augen.

Direkt vor ihr befand sich ein wirklich riesiges Schild. Von den mit Verzierungen aus auffälligen Leuchtelementen oder gebogenen

Stahlstücken ausgestatteten Tafeln hatte sie auf dem Weg hierher unzählige gesehen. Mit männlich kantiger Schrift oder reißerischen Sprüchen, die die eigenen Techniken lobpreisen wollten, beschriftete Schilder waren ebenfalls darunter gewesen. Doch das, was sie nun vor Augen hatte, war anders als alles, was ihr zuvor begegnet war.

›Atelier Garfiel‹. Auf diesen Buchstaben waren hier und da Rosenblüten und Blätter hübsch arrangiert, während daneben eine nochmals deutlich größere Rose gemalt war. Und das alles in Pink.

Die durch eine fließende, wellenförmige Linie dargestellte grüne Ranke und die zwei Blätter, in die sogar die Blattadern sorgfältig hineingezeichnet worden waren, setzten die Blüte, die sich auf der Tafel öffnete, wunderschön in Szene. Durch das elegante, liebliche Design konnte der Laden doch nur für ein Blumengeschäft gehalten werden.

»Krass …«

Vor Staunen blieb Winry der Mund offen stehen.

Braune Felswände. Stumpf glänzende Automails. Handwerker und Mechaniker. Rush Valley hatte irgendwo ein grobschlächtiges Image. Und dann blühte mitten in so einer Stadt eine riesige Rosenblüte. Das war echt krass.

»Ist schon krass, oder? Dann streng dich mal an! Ich komm später vorbei und sag Bescheid, wenn ich auch eine Arbeit gefunden habe!«

Mit einem *Pomm!* schlug Paninya Winry auf den Rücken, die halb entgeistert dastand, um sie anzuspornen.

»Ja, danke! Streng du dich auch an!«

Nachdem sie Paninya, die sich leichtfüßig davongemacht hatte, mit den Augen gefolgt war, blieb Winry unter dem Schild der an eine Garage erinnernden Werkstatt stehen und warf einen Blick ins Ladeninnere, um den Besitzer zu begrüßen. Doch vielleicht war gerade die Zeit, zu der es voll wurde, denn mehrere Kunden warteten darauf dranzukommen, und es war unmöglich auszumachen, wer von ihnen Garfiel sein könnte.

»Entschuldigung, ich bin Winry Rockbell. Dominic schickt mich zu Ihnen!«, sagte das Mädchen etwas lauter in den Laden hinein. Da kam aus dem Inneren eine tiefe Stimme zurück, allerdings etwa eine halbe Oktave höher, als sie gedacht hatte: »Jachhaa, kleinen Moment, bitte!«

Anscheinend befand er sich in einem Raum, der noch weiter hinten in der Werkstatt lag.

Winry hatte zwar von Dominic gehört, dass es sich bei dem Ladenbesitzer um einen Mann handelte, doch die feine und elegante Ladeneinrichtung ließ eher auf eine Frau schließen. Unwillkürlich stellte sich das Mädchen einen schlanken, androgynen Mann von kleiner Statur vor.

Kurz darauf erschien ganz hinten jemand im Laden.

»Danke, dass du gewartet hast!«

Sich seine ölverschmierten Hände abwischend, trat ein übers ganze Gesicht strahlender, muskelbepackter und großer Mann heraus, dessen Brust und Arme zudem ordentlich behaart waren. Mit Hosenträgern hatte er eine schwarze Hose mit einem schwarzen Tanktop kombiniert und trug an Oberlippe und Kinn einen

Bart. Seine kurzen Haare standen ganz oben auf dem Kopf leicht ab und seine Koteletten formten zwei scharfe Bögen.

Wie und aus welcher Richtung man ihn auch immer betrachten mochte – Garfiel war unbestreitbar ein massiver Mann, was in absolutem Kontrast zu dem mit Rosen versehenen Ladenschild stand und das Gegenteil von Androgynität war.

Das Einzige, was dennoch einen solchen Eindruck aufkommen ließ, war vielleicht der rote Kussmund, der wie mit einem Lippenstift nachgezogen aussah. Und schaute man genau hin, stellte man fest, dass er wirklich Lippenstift aufgetragen hatte.

Mit einer eleganten Geste legte der Mann mit der tiefen Stimme die Hand an den Mund und sagte: »Ooh, du bist also Winry! Und wie niedlich du doch bist! Ich bin Garfiel, der Besitzer dieses Ladens. Freut mich sehr! ♡«

Er beendete seine Worte mit einer mädchenhaften Herzchen-Geste und einem Zwinkern.

»…«

Winry, die Garfiels elegante und charmante Gebärden unwillkürlich in den Bann zogen, kam wieder zu sich und verbeugte sich hastig.

»A… Auf gute Zusammenarbeit!«, erwiderte sie. In ihrem Herzen wurde Garfiel, der Ladenbesitzer, zum Krassesten, was ihr an jenem Tag begegnet war.

Kapitel 2

Geschäftige Tage in Rush Valley

Am frühen Morgen, als der erste Zug in den Bahnhof von Rush Valley einfuhr, öffnete Winry die Augen. Sie befand sich im ersten Stock des Ateliers Garfiel – dort lag das Zimmer, das ihr zur Verfügung gestellt worden war – und lauschte seinem Bremsgeräusch, das von den umliegenden Bergen zurückgeworfen wurde.

Im Halbdunkeln sprang das Mädchen aus dem Bett, öffnete das Fenster und wusch sich am kleinen Waschbecken, das sich in einer Ecke des Zimmers befand, platschend das Gesicht, um die letzten Reste Schlaf zu vertreiben. Sie holte ein kurzes Tanktop heraus und zog es sich über, stieg dann in ihren Arbeitsoverall und band sich dessen Ärmel um die Hüften. Nachdem sie sich im Anschluss noch einen Pferdeschwanz und ein Bandana um den Kopf gebunden hatte, stand ihr Arbeitsoutfit.

Als sie sich fertiggemacht hatte, verließ Winry ihr Zimmer, lief die Treppe hinunter und durchquerte den menschenleeren Laden. Selbst diese Werkstatt, die sich morgens mit lauter Menschen füllte, sobald sie ihre Türen öffnete, lag jetzt gerade in vollkommener Stille da.

Winry stellte sich vor das Rolltor, das zur Straße vor dem Haus führte, und legte die Hände auf den Griff.

»Und hepp!«

Seit sie im Atelier Garfiel wohnte, gehörte das Öffnen des schweren Rolltors, das sie stets mit diesem Anfeuerungsausruf begleitete, zu ihren täglichen Aufgaben.

In dem Moment, in dem sich das Rolltor öffnete, strömte frische Morgenluft in die Werkstatt. Auch diese Stadt, die tagsüber von Hitze erfüllt war, kühlte in der Nacht ab, und bei Tagesanbruch wehte ein frischer Wind.

»Hmm, das Wetter scheint heute auch wieder schön zu werden!«

Sobald sich Winry genüsslich gestreckt und tief durchgeatmet hatte, begann sie mit den Vorbereitungen.

Sie entfernte den Staub von den installierten Elektrogeräten, fegte den Boden, wischte im Anschluss durch und reihte auf einem Nebentisch die kleinformatigen Werkzeuge für Feinteile der Art und Größe nach auf. Dann holte sie aus einem länglichen Kasten, der an der Wand stand, die Blaupausen der Kunden heraus, die heute einen Termin im Laden hatten. Die Automail, mit deren Anpassung sie gleich als Erstes am Morgen beginnen würde, legte sie mitsamt dem Tuch, in das sie eingewickelt war, auf den Arbeitstisch.

Durch die vielen Kunden und weil im Laden zahlreiche Werkzeuge verwendet wurden, gab es reichlich zu tun. Obwohl sie erst bei den Vorbereitungen war, trat Winry ein paar Schweißperlen auf die Stirn.

»Ich muss noch Feuer machen ...«

Während sie sich mit dem Ärmel ihres Overalls den Schweiß von der Stirn wischte, setzte sich Winry vor den Ofen, der in einer Ecke der Werkstatt stand, zündete ein Streichholz an und warf es hinein. Der Ofen wurde zum Zusammenschweißen und zum Erwärmen der Metallplatten, die für die Außenverkleidung von Automails verwendet wurden, gebraucht. Winry passte den Moment ab, in dem das Feuer begann, sich flackernd über die übereinandergelegten Holzscheite zu bewegen, und legte mehrere Metallplatten darauf.

Als die Vorbereitungen so weit abgeschlossen waren, dass die Arbeit gleich beginnen konnte, ließ sich Garfiel in der Werkstatt blicken.

»Morgen, Winry! Lass uns mal so langsam frühstücken!«

»Guten Morgen, Garfiel!«

Garfiel, der die Werkstatt mit einem strahlenden Gruß betreten hatte, starrte Winry ins Gesicht und ließ einen Seufzer hören. »Deine Haut sieht heute wieder so schön aus! Sie leuchtet ja richtig! Hach, die Jugend ist beneidenswert!«

»Garfiel, du siehst doch auch immer gut aus!«

»Hach, du bist gut darin, Leuten eine Freude zu machen! Ich freue mich über das Kompliment.«

Garfiels kokette Geste, die Hände auf seine Wangen zu legen, war mittlerweile ein gewohnter Anblick in Winrys Alltag.

Garfiel hatte die Aussage der jungen Frau zwar als Kompliment bezeichnet, doch ihre Worte waren nicht unehrlich gewesen. Kein einziges Mal war Garfiel mit Bartstoppeln im Laden aufgetaucht, weil er verschlafen hatte, oder hätte eine spröde und rissige Haut zur Schau gestellt, die auf einen ungesunden Lebensstil zurückzuführen gewesen wäre. Sowohl seine Kleidung als auch sein Körper verströmten einen Eindruck von Reinlichkeit und seinen Arbeitsplatz brachte er ebenfalls nicht grundlos in Unordnung. Umgekehrt scheute er durchaus keinen Schmutz und drückte sich deshalb etwa vor der Arbeit: In stressigen Zeiten war er der Erste, der ölverschmiert in der Werkstatt stand.

Seine Arbeit ordentlich machen und dabei sein äußeres Erscheinungsbild nicht außer Acht lassen – dieser Lebensstil, den Winry mitbekam, sah auch in ihren Augen cool aus.

Während die beiden ein einfaches Frühstück zu sich nahmen, das aus Kaffee, den Garfiel gekocht hatte, einer Suppe und Brot bestand, fielen erste Sonnenstrahlen durchs Fenster hinein. Aus den Schornsteinen weiter entfernter Werkstätten begann langsam Rauch aufzusteigen, hier und da wurden Rolltore und Fenster geöffnet und schon bald war das Hämmern auf Metall zu hören.

»Dann wollen wir auch mal mit der Arbeit beginnen! Geben wir weiterhin unser Bestes!«

»Yep!«

Winry dachte an das Glück, vollkommen in ihre geliebten Automail-Basteleien eintauchen zu dürfen, und schluckte den Rest ihres Kaffees hinunter.

Sobald die Werkstatt öffnete, kamen zahlreiche Kunden ins Atelier Garfiel. Obwohl sie die Leute nicht durch laute Rufe aktiv in den Laden zu locken versuchten, kamen sie anscheinend vorbei, weil sie von seinem Besitzer Garfiel Gutes gehört hatten.

»Entschuldigung, ich habe gehört, dass Sie in Ihrem Laden Automails nach Kundenwünschen anfertigen können ...«

»Könnten Sie sich mal meine Schulter anschauen? Die Werkstatt, die sie gemacht hat, hat leider Betriebsurlaub ...«

Ihre Kunden hatten die verschiedensten Anliegen: Manche kamen, um sich zum ersten Mal eine Automail anfertigen zu lassen, andere baten um Entwürfe eines neuen Modells, gegen das sie ihr altes tauschen wollten, und wieder andere kamen, um ihre Automails anpassen oder warten zu lassen.

Leichtfüßig lief Winry im vor Menschenstimmen lärmenden Ladeninneren herum und führte Garfiels Anweisungen aus.

»Winry, übernimm du bitte die Schraubenplatten bei dieser Außenverkleidung. Kümmere dich danach bitte um die Reparatur bei dem Kunden dort drüben.«

»Mach ich!«

»Von den Metallplatten, die wir letztens bestellt haben, sind doch noch welche da, oder? Schneid eine in die Form der Nummer achtundfünfzig auf diesem Konstruktionsplan hier zurecht. Außerdem ist Herr Kaas gekommen, also frag ihn bitte nach seinen Wünschen!«

»Alles klaaar!«

Der Kundenstrom riss nicht ab. Für gewöhnlich warteten mehrere Leute auf den Stühlen und Bänken, die in einer Ecke der Werkstatt standen.

Trotz seiner großen Beliebtheit gab es im Laden außer Winry keine weiteren Angestellten. Winry hatte gehört, dass Garfiel den Laden lange Zeit ganz allein gemanagt hatte und höchstens ab und zu Technikerkollegen aus der Nachbarschaft vorbeigekommen waren, um auszuhelfen. Allerdings war er wie zu erwarten zuletzt mit der Arbeit gar nicht mehr hinterhergekommen und hatte Dominic gegenüber anscheinend erwähnt, dass er eine helfende Hand benötigte.

Und da wurde ihm Winry vorgestellt, die sofort einsatzfähig war.

Für seine Stammkunden und die Neukunden, für die ein von Grund auf neuer Entwurf angefertigt werden musste, war grundsätzlich Garfiel zuständig, aber kurzfristige Reparaturen sowie Wartungen überließ er häufig Winry. Wenn es voll war, fragte sie auch die Stammkunden nach ihren Wünschen und übernahm manchmal sogar erste Entwürfe für Planungsskizzen.

Gerade am Anfang war Winry angesichts ihres neuen Umfelds, in der Bedienung ungewohnter Elektrowerkzeuge und Prothesentypen, die sie noch nie zuvor gesehen hatte, verunsichert gewesen, doch durch ihre angeborene Fröhlichkeit und gute Auffassungsgabe war sie jetzt bereits in der Lage, ihre Aufgaben flott auszuführen.

»Vielen Dank für Ihre Geduld, Herr Kaas! Was fehlt Ihnen denn?«, wandte sich Winry mit einer Patientenakte in der Hand an einen Herrn, dem vor mehreren Jahren im Atelier Garfiel für beide Beine Automails angefertigt worden waren.

»Ah, hallo! Um ehrlich zu sein, fühlen sich meine Beine immer schwerer an, je älter ich werde, und so wollte ich wenigstens die Außenverkleidung im Kniebereich zu etwas Leichterem umarbeiten lassen. Falls es möglich sein sollte, würde mir ein günstiger Preis entgegenkommen ...«, sagte Kaas. Vor dem Stuhl, auf dem er saß, hatte er einen Gehstock aufgestellt und die Hände auf dessen Griff übereinandergelegt. Die Kniescheiben seiner Automails waren von beachtlicher Dicke, weil es ihm zur Zeit ihrer Herstellung vor allem auf Stabilität angekommen war.

Nachdem Winry die Konstruktionspläne für Kaas' künstliche Gliedmaßen hinten aus der Werkstatt geholt hatte, überprüfte sie die Werte der Knie und der umliegenden Bereiche und überlegte, welches Material geeignet sein könnte, die Konstruktion leichter zu machen.

»Bitte warten Sie einen Moment!«

Winry legte sich einen Finger ans Kinn und dachte nach. Dann zog sie sich einmal ins kleine Hinterzimmer zurück, holte aus der Materialkiste ein Stück Metall und nahm es mit in die Werkstatt zurück.

»Wie wäre es damit?«

Bei diesem Metallstück handelte es sich um eine Materialprobe, die ein Unternehmen hergestellt hatte, das Mineralien verarbeitete und verkaufte. Das Atelier Garfiel nahm zwar auch Aufträge für Spezialanfertigungen an, für die die Metalle, die für die jeweiligen künstlichen Gliedmaßen verwendet werden sollten, in einem den Wünschen der Kunden entsprechenden Verhältnis legiert wurden, doch das trieb den Preis ziemlich in die Höhe. Verwendete es allerdings ein Material, das ein Unternehmen der Eisen- und Stahlindustrie als Massenprodukt verkaufte, ließ sich der Preis niedrig halten.

»Dieses Material ist erst seit Kurzem auf dem Markt. Der Preis ist erschwinglich und es ist total leicht!«

Während das Mädchen erklärte, wie hoch beispielsweise die Kosten wären, wenn sie diese Metalplatte verwendeten, und wie lange es dauern würde, strich Kaas mit einer Hand über seinen weißen Kinnbart und hörte interessiert zu.

Auf dem Land, wie zum Beispiel in Resembool, waren derartige neue Materialien so gut wie nicht zu bekommen. Weil sie aber in Rush Valley, dem Mekka der künstlichen Gliedmaßen, von den Herstellern direkt verkauft und vertrieben wurden, waren die Handwerker in der Lage, aus zahlreichen Materialtypen sorgfältig die für ihre Kunden geeignetsten auszuwählen und anzubieten.

Winry freute sich, dass ihr jetziges Umfeld ihr diese Möglichkeit bot, und bemühte sich, ihren Kunden neue Materialien zu empfehlen, von denen sie Kenntnis erhalten hatte.

»Da dieses Material etwas anfälliger für Rost ist, müssten Sie die bisherigen Pflegemethoden ändern, aber es wäre bei Weitem leichter als die Automails, die Sie jetzt tragen.«

»Oh, das wäre toll! Obwohl es mir schon ein wenig Sorge bereitet, dass ich sie anders pflegen müsste …«

Unschlüssig, wie er sich entscheiden sollte, hob Kaas das Metallblech an, das Winry ihm gegeben hatte, und strich darüber, doch als er hörte, dass das Material gut sei, schien er beruhigt.

»Wenn du dieses Material mit so viel Selbstvertrauen empfehlen kannst, ist es ganz bestimmt auch etwas Gescheites. Dann nimm das, bitte!«

»Wird gemacht!«

Winry vermaß Kaas' Gliedmaßen neu und trug die Werte in seine Patientenakte ein. Dann sagte sie ihm, an welchem Tag der Entwurf der neuen Konstruktionszeichnung fertig wäre, und polierte bei der Gelegenheit auch die Außenverkleidung seiner altgedienten Automails schön und sauber.

Nachdem sie den am Stock gehenden Kaas gestützt und bis zur Straße begleitet hatte, wandte sie sich den Leuten zu, die in der Werkstatt warteten.

»Vielen Dank für Ihre Geduld! Wer ist als Nächstes dran?«

Die Hand hob ein Mädchen namens Milia, das auch früher schon mehrmals zur Wartung gekommen war. Winry holte ihre Patientenakte hervor und ging zu ihr. Aus dem fürchterlich besorgten Gesichtsausdruck des Kindes erriet sie den Grund für seinen Besuch und zog kaum merklich die Augenbrauen zusammen.

»Hallo, Milia! Deinem Fuß geht's nicht gut, oder?«

»Nein ... Irgendwie fühlt er sich immer komisch an ...«

Das Mädchen setzte sich auf eine der Bänke und streckte mit einem äußerst besorgten Gesichtsausdruck einen Fuß vor, der von den Knöcheln abwärts aus einer Automail bestand. Er glänzte im Sonnenlicht und war erst letzten Monat überholt worden, doch wie es aussah, fühlte sich Milia damit unwohl und war bereits mehrmals für Anpassungen zu Winry gekommen.

»Dann schau ich ihn mir noch mal an, okay? Beweg ihn zunächst einmal so, wie ich sage.«

Winry setzte sich auf den Boden, holte aus der Werkzeugkiste einen Schraubenzieher heraus und löste die äußere Abdeckung der Automail. Dann näherte sie ihr Gesicht den Teilen und Zylindern, die sie von ihrer Position aus erkennen konnte, und folgte ihren Bewegungen mit den Augen.

»Eins, zwei ... Okay, dann versuch mal, den Fuß zu drehen.« Während sie das Mädchen bat, mal die Zehen oder das Fußgelenk zu bewegen, beobachtete Winry eingehend, wie die Automail reagierte. »Es scheint aber keine besonderen Auffälligkeiten zu geben ...«

Als sie einen Stab, an dessen Ende ein kleiner Spiegel befestigt war, einführte und den Bereich um die Zylinderkolben aus allen möglichen Winkeln überprüfte, hörte sie Milias zögerliche Stimme über ihrem Kopf:

»Hör mal, Winry. Du kannst diesen Fuß doch auch abnehmen und ihn dir bis ins kleinste Detail ansehen, oder? Würdest du das tun?«

»Hmm ...«, machte Winry und überprüfte erneut sorgfältig das Bauelement, das die elektrischen Signale empfing.

Natürlich stimmte es, dass es ihr die Arbeit erleichterte, wenn sie die Automail vom Verbindungsstück löste, doch beim Wiederfestmachen würde der Patient Schmerzen ertragen müssen. Bei Schäden an der Automail oder einer Größenanpassung ließ sich das nicht vermeiden, aber wenn keine eindeutige Ursache festzustellen war, wollte sie keinesfalls jemandem wehtun.

Nachdem sie sich erneut vergewissert hatte, dass alles in Ordnung war, entfernte Winry das Werkzeug, das sie hineingesteckt hatte, brachte die äußere Abdeckung an ihrer ursprünglichen Position an und sah zu Milia hoch.

»Wenn man auf einen neuen Typ von Automail umsteigt, dauert es manchmal länger, bis man sich daran gewöhnt hat. Schließlich ändert sich die Leistungsfähigkeit des elektrischen Signalempfängers. Und wenn man für die Automail selbst ein anderes Material verwendet oder sie zum Beispiel leichter oder schwerer wird, haben viele Menschen den Eindruck, dass sie sich anders anfühlt als die vorige. Deshalb frage ich mich, ob es bei dir nicht vielleicht auch so ist, Milia ... Was meinst du?«

»J… Ja … Jetzt, wo du es sagst, hab ich schon das Gefühl, dass sie sich beim Laufen und so seltsam leicht anfühlt und mich das stört …« Milia legte den Kopf schief und nickte ein wenig, als ob sie durch Winrys einleuchtende Erklärung auf die Ursache für ihr Unwohlsein gekommen war.

»Es wäre nur unnötig schmerzhaft für dich, wenn ich die Automail abmache, ohne etwas reparieren zu können. Was hältst du davon, wenn ich die Sache noch ein wenig beobachte? Sollte es auch nach einer Weile nicht besser werden, nehme ich deinen Fuß ordentlich ab und untersuche ihn, okay?«

Winry legte die Hand auf Milias Knie, um sie zu beruhigen. Dank der Freundlichkeit, die in dieser Berührung und ihrer Stimme lag, lockerten sich die Gesichtszüge des Mädchens, das befürchtet hatte, seine Automail könnte kaputt sein.

»Ja … Stimmt schon. Vielleicht hab ich mir zu viele Gedanken gemacht … Tut mir leid, dass ich dich so oft bemüht habe, obwohl du so viel zu tun hast.«

»Aber nicht doch! Du kannst mir vorbehaltlos alles sagen, was auch immer es ist! Pass auf dem Heimweg gut auf dich auf!«

Milia machte ein schuldbewusstes Gesicht, weil Winry sich die Zeit für sie genommen hatte, obwohl keine Notwendigkeit für eine Reparatur bestand, doch diese verabschiedete sich freundlich lächelnd von dem Mädchen, damit es sich die Sache nicht allzu sehr zu Herzen nahm.

In dem Moment rief sie ein anderer Kunde von hinten: »Winry, könntest du dir das hier bitte mal ansehen?«

»Jahaa, bin sofort bei Ihnen!«

Obwohl das Mädchen so viel zu tun hatte, dass ihm nicht einmal Zeit blieb, richtig durchzuatmen, kümmerte es sich freundlich lächelnd um die Kunden und führte Reparatur- und Wartungsarbeiten aus, ohne sich zu beklagen. Und Garfiel, dem die Arbeitsweise seiner jungen Angestellten gefiel, fand Zeit, ihr Techniken des Automail-Bauens beizubringen.

»Wiiinry, komm mal kurz!« Garfiel, der gerade dabei war, den Automail-Arm eines Stammkunden zu reparieren, winkte das Mädchen energisch herbei.

»Hey, so eine Form hast du bestimmt noch nie gesehen, stimmt's? Die hat in den 1890er-Jahren ein Ingenieur aus West City entwickelt, aber heutzutage sieht man sie kaum noch. Da es unter unseren Stammkunden noch mehr Leute gibt, die diesen Typ tragen, präg ihn dir gut ein! Seine Besonderheit liegt darin, dass die Stützen ein ganz kleines bisschen dicker sind. Sie reiben an anderen Teilen, was häufig zu Defekten führt. In so einem Fall ... Hier.«

Nachdem er sich schräg nach hinten gelehnt hatte, damit Winry, die zu ihm getreten war, gut sehen konnte, was er machte, öffnete Garfiel die Außenabdeckung der beiden Arme des Kunden und zeigte mit seinem Schraubenzieher auf eines der Teile, die quietschende Geräusche von sich gaben.

»Entweder du feilst das hier ab oder du tauschst das Teil gegen ein anderes dünnes und stabiles. Und es ist wichtig, ordentlich Öl aufzutragen!«

Während seiner Erklärungen steckte Garfiel sein Werkzeug mit geübten Bewegungen in die komplizierte Konstruktion hinein und wechselte das Teil aus. Anschließend tröpfelte er mit einer Pipette Öl darauf. Als der Kunde seine Finger bewegte, gaben die Zylinder nicht das leiseste Geräusch von sich und liefen reibungslos.

»Die gleiche Technik kannst du auch auf andere Automails bei Defekten im Bereich der Gelenke anwenden!«

»Alles klar!«

Voll Inbrunst beobachtete Winry, was Garfiels Hände machten, der ohne Vorbehalte sein technisches Wissen an sie weitergab. Sie konnte das Gefühl der Freude in ihrer Brust nicht unterdrücken.

Seit sie nach Rush Valley gekommen war, erhielt sie jeden Tag die Gelegenheit, mit künstlichen Gliedmaßen, wie sie sie nie zuvor gesehen hatte, in Berührung zu kommen, und eignete sich neue Techniken und Kenntnisse an. Und was sie auf diese Weise gewann, würde sich auf die Betreuung ihrer Kunden und die Baupläne für Edwards Automails, die in ihrem Zimmer lagen, auswirken.

Sie wollte noch mehr wissen. Sie wollte noch besser werden. Das war Winrys Wunsch. Für sie waren diese geschäftigen Tage deshalb nicht ermüdend, sondern machten ihr von Herzen Spaß und stimmten sie glücklich.

Winry, die immer arbeitete und eifrig lernte, wurde zusehends besser. Und da sie sich dennoch nicht damit zufriedengab und extra Zeit zum Lernen nahm, konnte sie ihre Fähigkeiten immer weiter verfeinern.

Auch an diesem Nachmittag hatte sie eine günstige Gelegenheit abgepasst, als der Strom der Kunden einmal abgerissen war, und übte das Zuschneiden von Metallplatten.

»Wie war das noch mal? Wenn man Metalle mit einem hohen Chromanteil mit diesem Gerät schneiden will, soll man die Führungsschiene benutzen, damit sie sich nicht verbiegen ...«

Winry setzte sich vor das elektrisch betriebene Gerät und legte den Rest einer Metallplatte an dessen Schneideklingen. Diese Maschine war für die Herstellung von Automails unentbehrlich und Winry hatte früher schon mal mit einem ähnlichen Typ gearbeitet. Doch die Werkzeuge in Garfiels Werkstatt waren so groß, wie sie präzise waren, und reagierten auch auf die leiseste Bewegung des Anwenders, was ihre Benutzung erschwerte.

Wurde man auch nur ein bisschen unaufmerksam, hielten die Klingen mittendrin an; arbeitete man mit zu viel Kraft, bekam das Gerät dagegen die Kurven nicht hin und die Kanten wurden zackig. Es war ziemlich knifflig, die Maschine so zu meistern, dass das Ergebnis so aussah wie gewünscht.

»Konzentration, Konzentration ...«, flüsterte Winry und atmete tief durch. Um sie herum stapelten sich mit allerlei Material gefüllte Kisten auf, die gerade geliefert worden waren. So saß sie wie in einem abgegrenzten Raum, was perfekt war, um ihre Sinne zu schärfen.

Als sie den Einschaltknopf des Geräts drückte, hörte sie das tiefe Brummen des Motors und spürte gleichzeitig Vibrationen in ihren Händen, die die Metallplatte hielten. Um sich davon nicht behindern zu lassen, hielt das Mädchen den Atem an, konzentrierte sich auf seine Fingerspitzen und begann, die Platte zu drehen. Während sich die Klingen der Maschine mit einem lauten Quietschen gegen das Metall rieben, das sie durchtrennten, beschrieben sie auf der Platte eine grazile Kurve.

Nachdem sie die Metallplatte weitergeschoben hatte, bis sie an den Klingen keinen Widerstand mehr spürte, nahm Winry sie vorsichtig vom Sockel herunter. Sie fühlte sich gut an. Aufgeregt hob das Mädchen das Stück hoch, das es abgeschnitten hatte, und siehe da – das Metall hatte genau die gewünschte Form.

»Geschafft!« Unwillkürlich nahm Winry eine kleine Siegerpose ein.

»Hey, hey, das sieht doch schon mal sehr gut aus!«

Wie lange er wohl schon zugesehen hatte? Zwischen den aufgestapelten Holzkisten schaute Garfiel hervor.

»Deine Handhaltung war vortrefflich! Dann zeig das gute Stück mal her!«

Garfiel nahm die Platte in die Hand, betrachtete sie eingehend und ließ an der gerundeten Kante einen Finger entlanggleiten.

»Hm ... Die Schnittkante bleibt an keiner Fingerspitze hängen. Das ist perfekt!«

»Wirklich?! Wah, ich bin so glücklich!«

Garfiel betrachtete das Mädchen, das die Finger vor der Brust verschränkt hielt und sich ehrlich freute, mit Bewunderung.

»In jedem Fall bist du innerhalb kürzester Zeit so gut geworden ... Dann kann ich dir wohl auch Kunden zuweisen, für die du zuständig sein wirst«, sagte er, lehnte sich vor und näherte sein Gesicht dem des Mädchens. »Gerade ist ein zwölfjähriger Junge gekommen. Du hast doch gesagt, dass du in der Vergangenheit eine Automail für einen Jungen etwa im gleichen Alter gebaut hast. Die Gelegenheit ist also günstig. Willst du ihn vielleicht übernehmen?«

»Übernehmen ... Wäre das wirklich okay?«

Erstaunt, etwas zu hören, woran sie nicht einmal zu denken gewagt hatte, zögerte Winry ein wenig. Für eine Mechanikerin war es etwas Erfreuliches, Kunden haben zu dürfen, bei denen sie von der Planung bis zur Produktion für alle Schritte zuständig war. Allerdings war ihr am ersten Tag ihrer Lehre gesagt worden, dass sie bei den Konstruktionszeichnungen fürs Erste nur Entwürfe machen solle und der Schwerpunkt ihrer Arbeit auf Wartung und Reparaturen liegen würde.

Als das Mädchen zögerte, lächelte Garfiel freundlich.

»Wenn du schon eigene Kunden gehabt hättest, bevor du dich an deine neue Umgebung und die Geräte gewöhnt hättest, wäre das bestimmt hart gewesen. Aber mittlerweile hast du unsere Maschinen hier gänzlich gemeistert und auch dein Wissen scheint ordentlich gewachsen zu sein. Jetzt müsste es okay sein.«

»Garfiel ...«

Anscheinend hatte ihr Lehrmeister darauf geachtet, dass Winry, die gerade erst nach Rush Valley gezogen war, sich nicht übernahm und dadurch ihre Gesundheit ruinierte. Rückblickend war Winry ihm für seine ungezwungene Rücksichtnahme dankbar.

»Aber natürlich liegt die Entscheidung bei dir ... Was meinst du?«

Garfiel kniff schelmisch die Augen zusammen und als Winry bemerkte, dass sie noch gar nicht zugestimmt hatte, hob sie hastig die Hände.

»Okay, ich werde mich anstrengen! Lass mich nur machen!«

Mit einem Rattern stand das Mädchen vom Stuhl auf und Garfiel nickte zufrieden.

»Dass du immer so vor Eifer brennst, ist eine deiner guten Seiten. Ich möchte dich bitten, dich um den Jungen, der da drüben sitzt, zu kümmern. Streng dich an, ja?«

Dort, wo ihr Lehrmeister hingezeigt hatte, sah Winry zwischen den Erwachsenen, die darauf warteten, bedient zu werden, einen Jungen sitzen, der deutlich jünger war als die anderen Wartenden. Er würde der erste Kunde werden, für den sie in Rush Valley zuständig wäre.

Winry behielt trotz ihrer Freude ihren Tatendrang im Griff, klopfte Späne von ihrer Kleidung ab, bereitete eine nagelneue Patientenakte vor und trat mit geradem Rücken an die Seite des Jungen.

»Hallo!«, sagte sie noch fröhlicher als sonst zu dem jungen Neukunden, der mit gesenktem Kopf auf einem Stuhl saß. »Hm? Bist du nicht ...?«

Das Kind hob sein Gesicht, das etwas niedergeschlagen wirkte, und Winry meinte, es schon irgendwo gesehen zu haben. Vielleicht hatte ihr Gegenüber den gleichen Gedanken, denn es zog die Augenbrauen zusammen, als ob es sein Gedächtnis durchforstete. Dann setzten beide gleichzeitig zum Sprechen an: »Damals in der Stadt ...!«

Kurz geschnittenes schwarzes Haar und traurige Augen. Der schmächtige Junge trug ein weißes T-Shirt und eine knielange grüne Hose. Mit ihm war Winry an dem Tag, an dem sie ihre Lehrstelle in Rush Valley angetreten hatte, auf der Straße zusammengestoßen. Anscheinend hatte sich das Kind, das auf der Suche nach einem Laden für künstliche Gliedmaßen gewesen war, noch immer für keinen bestimmten entschieden.

Neben dem Jungen, der sich auf einen Stuhl gesetzt hatte, stand seine Mutter. Das kleine Mädchen, das an jenem Tag auf deren Rücken geschlafen hatte, stand heute an ihrer Seite und hielt eine Krücke fest.

»Guten Tag! Mein Name ist Karen Harling.« Die Frau verneigte sich, wobei ihr schulterlanges braunes Haar raschelnd vor- und zurückfiel. »Tut mir leid wegen neulich! Du bist also Mechanikerin.«

»Ja. Mir tut es auch leid, weil ich unaufmerksam war ... Möchten Sie heute eine Automail in Auftrag geben?«

»Ja, ich möchte eine anfertigen lassen, die zum rechten Bein meines Jungen hier passt, aber ... Ach, dieses Kind ...« Karen sah den nach wie vor schweigenden Jungen aus ihren hellbraunen Augen an, doch der hielt seinen Blick erneut auf seine Füße geheftet und bemerkte es nicht. »Tut mir leid. Mein Sohn heißt Darish. Bitte kümmere dich gut um ihn!«

Als er die entschuldigende Stimme seiner Mutter hörte, die ihn an seiner Stelle vorstellte, hob der Junge ein wenig verlegen den Kopf. Anscheinend hatte er sie nicht ignoriert, sondern über etwas gegrübelt.

Ohne ihm wegen seines Verhaltens Vorwürfe zu machen, beugte sich Winry zu ihm hinunter und reichte ihm die Hand. »Ich bin Winry, Automail-Mechanikerin. Ich werde mich um dich kümmern. Freut mich, dich kennenzulernen!«

Doch Darish schenkte ihrer Hand nur einen flüchtigen Blick und drückte sie nicht.

»Noch haben wir nicht entschieden, diesen Laden zu beauftragen!«, sagte er und wandte sein Gesicht wieder ab. Seine Worte klangen richtig schroff.

»Darish!« Dieses Mal rügte Karen ihren Sohn, doch Winry zog ihre Hand zurück und lächelte den Jungen an.

»Stimmt auch wieder. Wir haben den Auftrag ja noch gar nicht offiziell bekommen. Erst müssen wir die Größe abmessen, die Kosten berechnen und eine provisorische Konstruktionszeichnung entwerfen ... Dann wird entschieden.«

Schließlich gab es in Rush Valley viele Werkstätten. Die Entscheidung darüber, welchen Laden ein Kunde beauftragte, lag bei ihm. Winry blieb nichts anderes übrig, als sich bei ihrer Arbeit die größte Mühe zu geben.

»Lass mich aber fürs Erste Maß nehmen, okay?«

Winry holte ein Maßband aus ihrer Tasche und kniete sich zu Darishs Füßen hin. In diesem Moment kreuzte ihr Blick den des kleinen Mädchens, das neben ihnen stand und die Krücke hielt.

Die Augen, die die Kleine den ihr unbekannten Menschen und Werkzeugen zuwandte, waren groß und so schwarz, dass man das Gefühl hatte, hineingezogen zu werden. In ihrem schwarzen Haar, dessen Spitzen sich über den Schultern sanft nach innen drehten, steckte eine einzelne weiße Schleife. Den Saum ihres hellblauen Kleides schmückten kleine Blumen und das unterstrich die Niedlichkeit des kleinen Mädchens.

Die Krücke, die etwa so groß war wie das Kind selbst, hielt es ab und zu schwankend mit beiden Armen umklammert.

Beim Entrollen des Maßbandes hielt Winry einen Moment in der Bewegung inne und lächelte das Mädchen an: »Hallo! Wie heißt du?«

Als wäre es glücklich, von dem älteren Mädchen angesprochen zu werden, breitete sich im Gesicht des Kindes, das bis dahin in keiner Weise einbezogen worden war, mit einem Mal ein Lächeln aus und es antwortete munter: »Lettie!«

»Lettie also! Wie alt bist du denn?«

»Sechs! Bin schon groß!«

Anscheinend gefiel es Lettie nicht, wie ein Kleinkind angesprochen zu werden. Der Anblick des Mädchens, wie es ein wenig die Lippen spitzte, ließ Winry schmunzeln.

»Ich kann doch schon die Krücke halten, während du mit Mama und meinem großen Bruder redest, oder?«

»Stimmt! Du hältst sie sehr gut!«

Einem sechs Jahre alten Kind fiel es bestimmt nicht leicht, mit etwas Großem und Schwerem in der Hand zu warten, doch Lettie schien es als ihre Aufgabe zu betrachten, die Krücke ihres großen Bruders zu hüten. Und sie hielt sie ganz fest im Arm. Das Auftreten des liebreizenden, tapferen kleinen Mädchens entlockte nicht nur Winry ein Lächeln, sondern auch den umstehenden Kunden, die darauf warteten, dranzukommen.

Doch die friedvolle Atmosphäre, die in diesem Eckchen des Ateliers eingekehrt war, wurde jäh zerstört.

»Dieses Mistding kannst du doch einfach da hinten abstellen!«, sagte Darish verdrießlich. »Dabei hab ich dir noch gesagt, dass du nicht mitzukommen brauchst! Du wirst sowieso mittendrin müde und pennst ein!«

Angesichts der kalten Worte, die Darish losgelassen hatte, ohne seine Schwester auch nur anzusehen, verzog sich Letties Gesicht, als ob sie kurz davor war, loszuweinen.

»Uh... Uwäääh...«

Ihre Augen füllten sich zusehends mit großen Tränen, die dann ihre Wangen hinunterzukullern begannen.

»Du bist wieder so gemein zu deiner Schwester ...! Lettie, hör auf zu weinen!«

Hastig zog Karen ein Taschentuch aus ihrer Tasche und wischte der Kleinen das Gesicht ab. Ihr Weinen hallte durch den ganzen Laden, sodass Garfiel und die anderen Kunden verwundert in die Richtung sahen, in der sich Winry und die kleine Familie befanden.

Vielleicht hatte er nicht gedacht, dass sie derart in Tränen ausbrechen würde, denn Darish schnalzte leise mit der Zunge, entriss seiner kleinen Schwester, die unaufhörlich weiterweinte, schon fast grob die Krücke und lehnte diese an die Wand hinter ihnen.

»Mama, du kannst ruhig mit Lettie ins Hotel zurückgehen. Mit ihrem Geheul stört sie ja auch die anderen Leute im Laden. Ich komm allein klar.«

»Aber wir müssen doch noch über dein Bein reden ...«

Karen zögerte, während sie versuchte, Lettie zu beschwichtigen. Ob Formalitäten oder Kosten – es gab Dinge, die nicht abschließend geklärt werden konnten, wenn kein Erwachsener dabei war. Umgekehrt würden es einige Leute vielleicht als unangenehm empfinden, wenn ihre Tochter noch länger so weiterweinte.

Ratlos zog Karen die Augenbrauen zusammen, als Winry ihr zu Hilfe kam: »Das ist schon in Ordnung.«

Darish, der sich nicht daran zu stören schien, dass seine kleine Schwester nicht aufhörte zu weinen, sah in eine andere Richtung. Aus seiner Haltung schloss Winry, dass solche Streitereien zwischen Bruder und Schwester häufiger vorkamen.

»Da ich heute nur Maß nehmen und die Art der gewünschten Automail in Erfahrung bringen wollte, kann ich ja Darish fragen.«

Als Karen, die die Sorge um ihre Kinder und die Meinung der Leute im Laden umtrieb, das hörte, nahm sie Lettie zögerlich auf den Arm und verließ eilig das Atelier.

»Tut mir leid, Winry! Darish ist manchmal etwas kompliziert ... Er wird dir vielleicht Umstände bereiten, aber ich würde mich freuen, wenn du dich dennoch um ihn kümmern könntest!« Mit einem Gesichtsausdruck, in dem sich Dankbarkeit und die Bitte um Verzeihung mischten, verneigte sich Karen mehrmals vor Winry, die mit nach draußen gekommen war, um sich von ihr zu verabschieden. »Ich melde mich«, sagte sie dann und machte sich auf in Richtung Hotel.

Winry blickte zur Werkstatt zurück und sah, wie Darish gerade mit der Handfläche über die Stelle strich, an der sein künstliches

Bein befestigt war, ohne seiner Mutter und seiner Schwester hinterherzuschauen. Sie wusste zwar nicht, warum er sich gegenüber dem kleinen Mädchen so grob benommen hatte, aber das war nicht gerade lobenswert. Da sie den Jungen, den sie gerade erst kennengelernt hatte, aber auch nicht tadeln konnte, ohne den Grund für sein Verhalten zu kennen, kniete sie sich erst mal wieder zu seinen Füßen hin und begann erneut mit der Arbeit.

»Also dann, Darish, wollen wir mal dein ganzes Bein vermessen?«

»Du brauchst nicht mit mir zu reden wie mit einem Kind. Schmeiß mich nicht mit meiner kleinen Schwester in einen Topf!«, sagte der Junge mürrisch, als ob es ihm widerstrebte, wie Winry mit ihm sprach.

»Okay. Du kannst mich auf jeden Fall aber Winry nennen«, entgegnete die junge Mechanikerin und schwieg daraufhin.

Die Kunden, die ins Atelier Garfiel kamen, lächelten größtenteils freundlich und oft plauderte Winry friedlich mit ihnen, während sie mit ihrer Arbeit weitermachte. Doch Darishs Gesichtsausdruck war hart und alles, was er äußerte, klang teilnahmslos und schroff.

Innerhalb des Ateliers hörte man die Gespräche zwischen Garfiel und den anderen Kunden sowie der Stammkunden untereinander. Zwischen Winry und Darish jedoch herrschte nur fortwährendes Schweigen. Es wäre eine Lüge zu behaupten, dass das hier einfach war, doch Arbeit war Arbeit. Um sich von der unangenehmen Atmosphäre nicht ablenken zu lassen, konzentrierte sich Winry auf das, was sie tat, und begann alles zu vermessen –

also den Fußrücken, die Größe der Kniescheibe, die Position des Hüftbeins und so weiter.

Nachdem sie die Werte in ein Formular, das an ihrem Klemmbrett befestigt war, eingetragen hatte, löste Winry den Gurt der Prothese, die das rechte Bein des Jungen ersetzte, um ihre Beschaffenheit zu überprüfen.

»Ich muss sie mir mal kurz ansehen, okay?«

Darishs künstliches Bein war vom Typ her eins, dessen oberes Ende über den Oberschenkel gezogen wurde. Sowohl das Stück über dem Knie als auch die Kniescheibe, das Stück unter dem Knie und der Fußrücken waren aus hartem Holz gefertigt. Damit sich das Bein strecken und beugen konnte, war eine Metallstange in das Kniegelenk eingearbeitet worden, wodurch es auf Bewegungen mehr oder weniger reagieren konnte. Die Prothese wurde mit Ledergurten und Metallschließen am nicht amputierten Oberschenkel befestigt.

Als Winry die Gurte löste, die zu festgezogen waren, bemerkte sie, dass die Haut, die mit der Prothese in direkten Kontakt kam, mit blauen Flecken übersät war.

»Darish, du bist doch zwölf, oder? Offensichtlich bist du entsprechend gewachsen, doch die Prothese passt nicht mehr ... Wann wurde sie denn angefertigt?«

»Vor zwei Jahren ...«, antwortete Darish scheinbar desinteressiert, woraufhin Winry kaum merklich die Augenbrauen zusammenzog.

Der Körper des Jungen befand sich in der Wachstumsphase und die Länge seiner Arme, seine Körpergröße und so weiter waren seinem Alter gemäß entwickelt. Da konnte die vor zwei Jahren angefertigte Prothese auch gar nicht mehr passen.

Winry legte ihre Hand auch auf sein normales linkes Bein, um es mehrmals langsam zu beugen und zu strecken. Dann erhob sie sich, trat hinter den Jungen und betastete durch dessen Kleidung auch die Wirbelsäule und das Hüftbein.

Mit ihren Handflächen bemerkte sie, dass etwas nicht stimmte. Sie war zwar keine Ärztin, konnte aber aus Erfahrung heraus sagen, dass sich der Knochen des rechten Beinstumpfes in einer Fehlstellung befand. Die nicht passende Prothese verursachte im rechten Bein Schmerzen und um diese erträglicher zu machen, nahm der Junge eine unnatürliche Haltung ein – mit der Folge, dass der Beinstumpf übermäßig belastet wurde. Wenn Darish nicht so schnell wie möglich eine an seinen Körper angepasste Prothese bekam, würden ihm in Zukunft nicht nur das rechte, sondern auch das linke Bein und die Hüfte wehtun.

Nachdem Winry das künstliche Bein, das sie dem Jungen abgenommen hatte, auf den Arbeitstisch gelegt und die Positionen der Gurte und Beschläge korrigiert hatte, um die Schmerzen wenigstens etwas zu lindern, befestigte sie es wieder am Stumpf.

»Diese Prothese passt ganz offenbar nicht mehr zu deinem Bein, also lass uns dir zeitnah eine neue Automail machen, okay? Kannst du mir sagen, was für eine du gern hättest?«

Aus einer Ecke der Werkstatt holte Winry einen runden Hocker, platzierte ihn vor Darish und setzte sich darauf. Doch in dem Moment, in dem sie das Klemmbrett mit der Patientenakte auf ihren Schoß legte und endlich mit dem Gespräch beginnen wollte, senkte der Junge den Kopf.

»Was hast du denn ...?«

Das Mädchen, das die Spitze seines Stifts bereits angesetzt hatte, um in einer leeren Spalte der Akte die Wünsche des Patienten festzuhalten, blickte Darish, der schweigend dasaß, ins Gesicht.

»...«

Ohne auch nur ein Wort zu sagen, betrachtete der Junge sein künstliches Bein.

Doch wenn Winry ihn nicht einmal nach seinen Wünschen für die Automail fragen konnte, kam sie keinen Schritt weiter. Sie versuchte also, sich wieder zu fassen, und fragte erneut mit fröhlicher Stimme: »Willst du mir erst mal sagen, was für eine Automail du dir so vorstellst? Soll sie leicht oder eher beweglich sein? Auf dieser Grundlage werde ich einen Entwurf anfertigen. Im Anschluss treffen wir uns wieder und machen ein tolles Bein, mit dem du richtig zufrieden sein kannst.«

»...«

»Hey, hast du irgendwelche besonderen Wünsche?«

Nachdem sie mehrmals nachgehakt hatte, öffnete Darish endlich den Mund. »Ich hab keine Wünsche.«

»Dann sollte ich dir zunächst einmal vielleicht etwas von meiner Seite empfehlen. Ich zeige dir ein paar Beispiele, okay?«

Winry war zwar davon ausgegangen, dass Darish, weil er sich anscheinend länger in Rush Valley aufhielt, bestimmt schon viele Automails gesehen und seine Vorstellung gefestigt hatte, doch so wie es aussah, hatte er sich noch für nichts entschieden.

Wenn die Käuferseite keine besonderen Vorstellungen besaß, war es üblich, dass die Mechaniker etwas vorschlugen, was zum Körper des Kunden oder der Kundin passte.

Doch als Winry aufstehen wollte, um etwas zu holen, das als Anschauungsobjekt dienen konnte, erhob Darish sich von seiner Bank.

»Ich geh nach Hause.«

Grob griff er nach der Krücke, die an der Wand gelehnt hatte, und klemmte sie sich unter die Achsel.

»Was? Du gehst nach Hause? Aber warum denn?!«, fragte Winry überrascht zurück, noch immer in halb sitzender Position. Darish allerdings verließ mit seiner Krücke schnell den Laden und trat nach draußen.

»W... Warte doch mal!«

Sie eilte ihm hinterher und schob sich von der Seite halb vor ihn.

»Wir haben doch noch gar nichts zur Automail besprochen! So kann ich nicht mal einen Entwurf machen, verstehst du?«

Es war komplett sinnlos, in einer Automail-Werkstatt nicht über Automails zu sprechen. Doch Darishs Gesichtsausdruck war entsetzlich hart. Seine Lippen bewegten sich kaum merklich, als er sagte: »Dieses ganze Gerede über Prothesen ...«

»Hä?«

Winry hatte keine Gelegenheit, nach der Bedeutung dieser im Flüsterton herausgepressten Worte zu fragen. Um das Mädchen zur Seite zu schieben, machte Darish mit der Krücke einen großen Schritt nach vorn und ging diesmal wirklich davon. Sein Gang ließ keinen Zweifel daran, dass er nicht anhalten würde, selbst wenn sie ihm hinterherlief.

Verblüfft konnte Winry nicht mehr tun, als dem sich entfernenden Jungen hinterherzurufen, dass er morgen wiederkommen solle.

»Was wohl mit ihm los ist ...? Irgendwie verstehe ich ihn überhaupt nicht.«

Noch immer ratlos zog sich das Mädchen ins Atelier zurück. Mal verfiel Darish plötzlich in Schweigen, dann ging er überstürzt nach Hause – sie konnte sein Verhalten einfach nicht einschätzen.

»Sind alle Jungs in seinem Alter so?«

Winry selbst war erst fünfzehn und hatte nicht vor, sich erwachsen zu geben, doch wenn sie es mit Kindern zu tun hatte, die jünger waren als sie, kam sie unwillkürlich schon mal auf solche Gedanken.

In ihrem Kindheitsfreund Edward konnte sie wie in einem offenen Buch lesen, aber wie war es gewesen, als er – so wie Darish – zwölf gewesen war? Winry versuchte sich daran zu erinnern.

Das musste wohl zu der Zeit gewesen sein, als er einen Arm und ein Bein verloren hatte und Staatsalchemist geworden war – eine für ihn schwere Zeit. Doch was seinen Charakter betraf, so war der Edward in ihrer Erinnerung genauso schlicht und einfach zu verstehen wie jetzt auch.

Als Winry an diesem Tag mit der Arbeit fertig wurde, war es nach sieben Uhr.

»Passen Sie auf sich auf!«

»Jawohl! Nächste Woche geht's weiter, ja?«

Nachdem sie sich vom letzten Kunden verabschiedet hatte, der in der Abenddämmerung den Heimweg angetreten hatte, machte sich Winry wie immer daran, den Laden zu schließen. Sie putzte und ölte sorgfältig das Werkzeug, das vom Tagewerk schmutzig war, räumte die Materialkisten, die vor dem Laden gestanden hatten, ins Atelier und ließ das Rolltor herunter.

Wenn es noch etwas gab, das bis zum nächsten Tag erledigt werden musste, machte sie zusammen mit Garfiel Überstunden, doch heute war das nicht nötig.

Nachdem sie das Atelier komplett aufgeräumt hatte, öffnete Winry ihre Werkzeugkiste. Schraubenschlüssel, Schraubenzieher, Hammer und Lineal – dieses Werkzeug, das sie aus Resembool mitgebracht hatte, benutzte sie, seit sie klein war. Das Mädchen polierte es sorgfältig mit einem Tuch. Seit sie in Rush Valley Werkzeug gekauft hatte, das praktischer und einfacher zu benutzen war, kamen diese Sachen immer seltener zum Einsatz. Nichtsdestotrotz durfte die Pflege dieser wertvollen Gerätschaften, mit denen Winry so viele Erinnerungen verband, als Abschluss des Tages nicht fehlen.

»Yep, jetzt sieht's wieder gut aus!«

Sie hielt die fertig polierten Utensilien ins Licht und erfreute sich einen Moment lang daran, wie sie es reflektierten, dann legte sie sie in die Kiste zurück.

»So, Schluss für heute!«

Um sicherzugehen, dass das Feuer aus war, warf sie als Letztes einen Blick in den Ofen und schaltete dann das Licht aus.

Durch die Innentür verließ Winry das Atelier. Dahinter befand sich ein kleines Zimmer, an das sich die Treppe, die in den ersten Stock führte, die Küche und der Waschraum anschlossen. Dort saßen Garfiel und zwei Männer an einem mit einer weißen Spitzentischdecke bedeckten runden Tisch und tranken Tee.

»Garfiel, ich bin fertig!«

»Danke dir!«

Als Winry verkündete, dass sie ihre Arbeit für heute abgeschlossen hatte, stellte Garfiel, der gerade auf elegante Weise Tee getrunken hatte, mit einem abgespreizten kleinen Finger seine Tasse auf dem dazugehörigen Untersetzer ab und strahlte übers ganze Gesicht.

Auf dem Tisch standen mit hübschen Rosen verzierte Tassen und eine Kanne mit gleichem Muster. Die Rückenlehnen und Armstützen der zum Tisch passenden metallenen Stühle waren geschwungen. Die Sitzgruppe schien zwar etwas zu romantisch für die drei Männer, die ihren Tee genossen, doch in Garfiels Atelier war dieser Stil an der Tagesordnung.

»Ah, Winry! Möchtest du auch einen Tee?«

Dies fragte lächelnd Henrik, ein junger Mann, der hier im Laden nach Winry am zweitjüngsten war. Er hatte sich auf seinem Stuhl zu ihr umgedreht und einen Arm um die Rückenlehne gelegt.

»Yo, gute Arbeit!«

Der dritte Mann trug einen Kinnbart und hieß Weis. Er war ungefähr genauso alt wie Garfiel oder etwas älter. Die beiden waren Arbeitskollegen, denn auch er betrieb in Rush Valley eine Automail-Werkstatt.

»Guten Abend, Henrik und Weis!«

Nachdem sie die Männer, denen sie schon öfters begegnet war, lächelnd begrüßt hatte, setzte sich Winry auf den freien Stuhl, den Weis schon für sie zurückgezogen hatte.

»Hey, wirklich gute Arbeit!« Henrik bedankte sich für ihre Mühe und reichte ihr den Tee, den er aus der Kanne eingeschenkt hatte.

»Vielen Daank!«

Wahrscheinlich hatten die Männer ihn in der Kanne abkühlen lassen, denn der Tee in ihrer randvoll gefüllten Tasse war kalt. Als das Mädchen einen Schluck trank, lief die Kühle angenehm in alle Winkel ihres vor Hitze und Erschöpfung glühenden Körpers.

Auf diese Weise gemeinsam mit ihren Arbeitskollegen das Gefühl der Erfüllung auszukosten, das sich einstellte, wenn das Tagewerk beendet war, gehörte zu Winrys Lieblingsmomenten. Sie atmete erleichtert durch und lauschte eine Weile dem Gespräch der drei Männer.

»Jaja, das stimmt!«

Als ihre Unterhaltung irgendwann stockte, wandte Garfiel, der über das aktuelle politische Geschehen, die Konjunktur sowie Gott und die Welt geplaudert hatte, Winry sein Gesicht zu. »Seid ihr bei eurem Gespräch zu Darishs Automail zu einem Ergebnis gekommen?«

»Tja, was das angeht ...« Auf Garfiels Frage hin stellte Winry ihre Tasse ab und seufzte leise. »Um ehrlich zu sein, ist er einfach nach Hause gegangen, bevor wir überhaupt irgendwas besprechen konnten ...« Da Winry ihren Kollegen, die nichts von der Sache wussten, alles erzählte, erfuhr nun auch Garfiel, was passiert war. »... und selbst als ich mich nach seinen Wünschen für die Automail erkundigt habe, hat er mir nicht geantwortet. Da war ich dann auch etwas überfragt.«

»So war das also ...?«

Zu dem Zeitpunkt, an dem Darish den Laden verließ, hatte sich Garfiel gerade in einem komplizierten Gespräch mit einem Kunden befunden, den er betreute. Als er nun die gesamte Geschichte hörte, zog er überrascht eine Braue hoch.

»Und das, obwohl er wie ein braver Junge ausgesehen hat! Das war ja bestimmt ganz schön anstrengend!«

»Ich habe ihn zwar gebeten, morgen wiederzukommen, aber ... Es tut mir leid.«

Als Händler mussten sie das Vertrauen der Kunden gewinnen und einen Beitrag zum Geschäft leisten. Winry hatte Schuldgefühle, weil ihr das nicht gelungen war.

Aber nichts an Garfiel, der weiter seinen Tee schlürfte, vermittelte den Eindruck, dass ihn irgendetwas stören würde.

»Du musst dich dafür doch nicht entschuldigen! Darish hat ja nicht gesagt, dass er woanders hingeht, oder?«

»Nein.«

»Wenn das so ist, dann hat sich nichts daran geändert, dass du für ihn zuständig bist. Da er nicht klar abgelehnt hat, darfst du nur daran denken, ihm eine gute Automail zu machen!«

In diesem Moment strich Weis, der bislang schweigend zugehört hatte, über seinen Kinnbart und richtete eine Frage an das Mädchen: »Dieser Junge heißt doch nicht etwa Darish Harling?«

»Doch, das tut er ... Kennst du ihn etwa?«

In Rush Valley, wo sich viele Menschen aufhielten, kam es nicht so oft vor, dass man von Arbeitskollegen bekannte Kundennamen hörte. Als Winry sich über Weis' Frage wunderte, gab dieser einen Laut von sich, der wie ein leises Brummen klang.

»Hmm, wenn er's wirklich ist, kann es sein, dass er sofort zu einem anderen Laden geht.«

»Zu einem anderen Laden ...?« Winry, die in Darishs Haltung etwas Unverständliches gespürt hatte, geriet noch mehr durcheinander.

»Bitte entschuldige! Ich hab das nicht gesagt, um dich noch weiter in Verlegenheit zu bringen!« Weis winkte mit beiden Händen ab, weil er das Mädchen beruhigen wollte, das sein Gesicht verzogen hatte und nachdenklich geworden war. Dann strich er noch einmal über seinen Bart. »Dieser Junge ist auch einmal in meinen Laden gekommen ... Etwa vor einer Woche, glaub ich. Er war zwar zusammen mit seiner Mutter da, um sich eine Automail anfertigen zu lassen, hatte aber kein Interesse dran. Wie's scheint, war der Laden, der die Prothese gemacht hat, die der Junge jetzt benutzt, ein ganz schlimmer. Dort wird der Körper nicht ordentlich ausgemessen und kümmert man sich nach dem Verkauf auch nicht um die Nachbehandlung.«

»So was aber auch ...« Winry runzelte die Stirn.

Bei einer Automail wie auch bei gewöhnlichen Prothesen trug man während der Herstellung detaillierte Daten zusammen und fertigte etwas an den Körper Angepasstes an. Und auch nachdem die künstlichen Gliedmaßen einmal am Körper angebracht worden waren, machten sie, zum Beispiel im Zusammenhang mit Wachstum oder Lebensgewohnheiten, Anpassungen erforderlich.

Eine nach einem zu groben Entwurf gefertigte Prothese stellte für den Träger eine große Belastung dar und neigte dazu, das Skelett selbst zu verformen. In schlimmen Fällen konnten am Körper sogar Schäden wie beispielsweise Lähmungen auftreten.

»Aus diesem Grund scheint er Schmerzen im Bein bekommen zu haben, gleich nachdem die Prothese angebracht worden war. Er hat jetzt bestimmt immer noch kein Vertrauen zu Mechanikern. Solange seine Mutter da war, ging es ja noch, aber als er mit mir allein war, hat er überhaupt nicht mehr mitgemacht. Da ich auch anderweitig noch zu tun hatte, konnte ich mich nicht die ganze Zeit nur um den Jungen kümmern und irgendwann funktionierte die Verständigung auch nicht mehr gut. Letzten Endes ist er zu einem anderen Laden gegangen.«

»Ah, ich verstehe ...«

Winry hatte zwar gedacht, dass Darishs künstliches Bein durch sein Wachstum nicht mehr zu seinem Körper passte, doch es war von Anfang an ungeeignet gewesen, schon seit es gebaut worden war. Da er viele Jahre mit Schmerzen im Bein hatte leben müssen, war es nicht verwunderlich, dass er Automail-Mechaniker verabscheute.

Die junge Mechanikerin erinnerte sich an Darishs Bein, das mit schmerzhaften Blutergüssen übersät gewesen war, und schloss ihre Hände fest um ihre Tasse. Da sie selbst diesem Beruf nachging, hielt sie es für unentschuldbar. Gleichzeitig wallte Entrüstung gegenüber denjenigen in ihr hoch, die – obwohl sie, genauso wie Winry, Mechaniker waren – ihre Kunden nachlässig behandelten.

Anscheinend dachte nicht allein das Mädchen so, denn auch Garfiel sagte mit einer leicht erbost klingenden Stimme, während er reihum Tee nachschenkte: »Die gibt's wirklich. Kerle, die solch eine schlampige und verantwortungslose Arbeit abliefern. Das sind weniger Mechaniker als skrupellose Geschäftsleute, die nur auf den schnöden Mammon aus sind. Sie wissen, dass die Leute, die kommen, um Automails zu kaufen, jede Menge dafür ausgeben. Sie schleifen sie in ihre Läden, zwingen sie, Verträge zu unterschreiben, drehen ihnen nicht gut funktionierende Automails für teures Geld an und stecken nur die Kohle ein, ohne die Dinger ordentlich zu warten ... Echt das Letzte!«

Garfiel, der sonst immer ruhig und gelassen war, zeigte seinen Unmut und sprach in einem Rutsch, was für ihn ungewöhnlich war, doch bewies, wie ihn die Existenz solcher Kerle abstieß.

»Wahrscheinlich sind die scharf auf die gute Wirtschaftslage in Rush Valley, weil es auch hier in der Gegend immer mehr von denen gibt. Sie tauchen wie Hyänen an Orten auf, die nach Geld riechen. Widerwärtig!«

Als Garfiel eine Hand an seine Wange legte und einen tiefen Seufzer von sich gab, machte auch Weis ein Gesicht, als hätte er in eine Zitrone gebissen, und drückte damit seine Zustimmung aus.

»Es ist echt übel. Mit ihren Unterstellungen kommen die auch in Läden wie unsere, die redlichen Handel betreiben, oder drehen uns Material für teures Geld an – eine richtige Landplage!

Aber wehe, du beschwerst dich! Dann stecken die vielleicht deinen Laden in Brand.«

»In Brand?« Als Winry bei diesen bedrohlichen Worten die Augenbrauen zusammenzog, stellte Henrik seine leere Teetasse ein wenig grob auf einer Holzkiste ab und erklärte frustriert: »Beim Bahnhof gibt's doch dieses große, leer stehende Grundstück, oder? Da stand ursprünglich auch ein Laden eines Mechanikerkollegen. Dessen Besitzer hatte einen starken Sinn für Gerechtigkeit und stellte sich tagtäglich skrupellosen Geschäftsleuten entgegen, doch einmal kam es wegen eines Kleinbrandes mitten in der Nacht zu einem Tumult. Ein windiger Geschäftsmann, der dem Ladenbesitzer feindlich gegenübergestanden hatte, wurde zwar sofort festgenommen, aus Mangel an Beweisen aber letzten Endes auf freien Fuß gesetzt. Und der Laden konnte die Entschädigungsforderungen nicht bedienen und ging bankrott.«

Henrik meinte den Ort, an dem an Winrys erstem Tag als Lehrling die Wettkämpfe im Gewichtheben veranstaltet worden waren. Dieses Gebäude, das sich mitten in der Stadt, wo sich Läden und Wohnhäuser aneinanderreihten, klaffend wie ein Loch auftat, stand also infolge eines Brandes leer.

»Kann man sie nicht entlarven? Wenn zum Beispiel betrogene Kunden sie bei der Militärpolizei anzeigen würden ...?«, fragte Winry, die so etwas zwar aus Gerüchten kannte, mit solchen Geschäftsleuten aber nie wirklich in Berührung gekommen war. Daraufhin schüttelten die drei Männer auf die gleiche Weise den Kopf.

»Das kannst du vergessen. Selbst wenn Kunden zur Anzeige bringen würden, dass sie bedroht wurden, so haben sie doch selbst ihre Unterschrift auf den Vertrag gesetzt. Und solange die Militärpolizisten nicht direkt Zeugen der Drohungen werden, können sie auch nichts machen.«

»Neulich haben die sich organisiert und werden seitdem immer brutaler. Die Stimmung in der Stadt ist schlecht geworden – es ist unerträglich.«

»Aber wirklich!«

Wie aus einem Munde brachten Garfiel und die anderen ihre Unzufriedenheit zum Ausdruck.

Weil sich überall im Land Terroranschläge ereigneten, herrschte eine große Nachfrage nach künstlichen Gliedmaßen. Das war der Hintergrund, dass die mit qualitativ hochwertigen Bergwerken gesegnete Stadt Rush Valley in den vergangenen Jahren eine Blütezeit erlebte. Selbstverständlich wünschte sich von den Mechanikern niemand eine Welt endloser Fehden, doch da es Menschen gab, die Prothesen benötigten, wünschten sie sich, in einer sicheren Umgebung bestmögliche Produkte anbieten zu können.

Vor allem waren die Mechaniker stolz darauf, die Technologie so weit vorangebracht zu haben, während sie hier in der Stadt mit ihren vielen Kollegen wetteiferten. Die Anwesenheit skrupelloser Geschäftsleute, die dem Ansehen von Rush Valley schadeten, trat ihre Gefühle sozusagen mit Füßen.

»So frustrierend es ist, ist es doch am besten, ihnen nicht in die Quere zu kommen. Winry, auch du darfst dich dubios aussehenden Läden auf keinen Fall nähern! Okay?«

»Okay!« Ebenso aufrichtig nickte Winry Garfiel zu, der ein ungewöhnlich ernstes Gesicht machte.

»Jedenfalls bleibt uns nichts anderes übrig, als uns von denen nicht unterkriegen zu lassen und uns hier anzustrengen! Auch wir werden Kampfgeist zeigen!« Garfiel schnaubte und verschränkte kraftvoll seine muskulösen Arme.

»Genauso ist es. Dafür brauchen wir zunächst einmal eine neue Waffe!«, sagte Henrik in einem scherzhaften Ton und reichte Winry mehrere Blätter Papier.

Sie nahm sie in die Hand, besah sich den Text und die Planungsskizzen darauf und staunte.

»So eine große Maschine ...! Ist das ein neues, elektrisch betriebenes Werkzeug?«

Es handelte sich um das neueste großformatige Elektrowerkzeug eines gewissen namhaften Herstellers. Dieses Gerät, das unter anderem schneiden und schleifen konnte, verfügte über viele Typen von Klingen, die sich austauschen ließen. Sowohl diese Klingen, die entsprechend stark waren, als auch die Schleifscheiben waren denen der Geräte überlegen, die sie momentan im Laden hatten.

»Wenn man eine Automail baut, dann legt man doch verschiedenes, zum Kunden passendes Material bereit, oder? Doch ist das verwendbare Material nicht auch begrenzt, wenn die Werkzeuge in ihrer Leistungsfähigkeit beschränkt sind? Deshalb hab ich kurzerhand dieses neue Gerät bestellt. Die Investition hab ich mir mit den beiden hier und noch ein paar anderen geteilt.«

»Wow ...!«

Die Anschaffung des neuesten Elektrowerkzeugs in gemeinsamer Finanzierung war typisch für Rush Valley. Mit der Einführung des Geräts würde sich die Bandbreite der Metalle, die sich verarbeiten ließen, gegenüber dem Ist-Zustand erhöhen und könnten die Mechaniker wohl vielfältigere Automails herstellen.

Bewundernd betrachtete Winry eingehend das Gerät auf dem Papier und streichelte mit der Fingerspitze darüber. »Obwohl es über so viele Funktionen verfügt, gibt es kein einziges überflüssiges Teil ... Bei diesem Hersteller war es doch so, dass der Chef fand, die Verwendung guter Werkzeuge sei bei der Herstellung von Dingen entscheidend. Wegen dieser Überzeugung gründete er das Unternehmen. Ursprünglich war er selbst auch Handwerker und da ist die berühmte Legende, dass er mit zehn Jahren eine Lokomotive repariert hat ... Ah, bitte entschuldigt! Vor lauter Enthusiasmus konnte ich nicht an mich halten!«

Verlegen streckte Winry ein kleines Stück ihrer Zunge heraus. Wie klein eine Information auch sein mochte – wenn sie Automails betraf, brannte sie sich in ihr Gehirn ein. Garfiel und die anderen dagegen blinzelten verwundert, fragten sich mit ihren Blicken gegenseitig, ob sie das eben gewusst hätten, und schüttelten die Köpfe.

»Ich habe früher einmal von den Überzeugungen dieses Herrn in der Zeitung gelesen. ›Wenn die Schrauben keine Geschichten erzählen und die Zahnräder schweigen, sind sie nichts weiter als Eisenklumpen. Doch wenn die richtige Person sie berührt und ihnen ihr Ohr leiht, schwingen die Schrauben ganze Reden und die Zahnräder beginnen, Gedichte zu rezitieren. Dann wird die

Automail gewiss ein strahlendes Leuchten aussenden.‹ … Ach, ist das nicht romantisch …?!«

Winry drückte die Konstruktionsskizze an ihre Brust und schloss hingerissen die Augen. Wie man es auch drehte und wendete, dieser Anblick entlarvte sie als waschechten Automail-Fan. Garfiel und die anderen versuchten verzweifelt nicht loszuprusten.

Ohne sich darum zu kümmern, dass sein Lippenstift so abging, presste Garfiel seine Hände fest auf den Mund. Er wartete ab, bis Winry damit fertig war, ihre Gedanken um das Gerät kreisen zu lassen, und wandte sich dann an sie: »Hör mal, da es sich so ergeben hat, dass wir dieses Elektrogerät bei uns aufstellen werden, werde ich dich mit seiner Pflege betrauen. Natürlich darfst du es auch nach Belieben benutzen.«

»Was, wirklich?!«

Winry, die sich noch halb wie im Traum fühlte, kam durch diese Worte, die sie sich nicht einmal hätte vorstellen können, wieder zu sich. Sie hätte nicht geglaubt, ernsthaft die Erlaubnis zu bekommen, das Gerät zu benutzen, wo sie doch noch lange nicht mit ihrer Ausbildung fertig war. Wenn sie bloß daran dachte, dass es das neueste Modell und hochpreisig war, war sie schon nervös, doch noch mehr als das schlug ihr Herz wie wild vor Freude.

»Was mach ich nur? Schon wenn ich daran denke, fangen meine Hände an zu zittern! Aah, aber was soll ich bloß bauen?«

Mit einer Winry vor Augen, die mit strahlendem Gesicht umherhüpfte, konnten die Männer sich nicht länger zurückhalten und lachten los.

»Ah ha ha ha! Winry, du wirst dich nie ändern!«

»Wo du so eine eifrige Schülerin hast, ist der Tag, an dem der Name dieses Ladens *Atelier Winry* lauten wird, wohl auch nicht mehr weit!«

»Na, da sagst du was! Aber ich gebe mich noch lange nicht geschlagen!«

Während alle lachten, betrachtete die junge Mechanikerin noch einmal das Gerät auf dem Papier. Sie dachte daran, dass sie mit diesem neuesten Modell gerne für Darish die bestmögliche Automail bauen würde. Sie wollte ihm zeigen, dass eine Prothese keine Schmerzen verursachen musste, sondern an die Stelle von Gliedmaßen treten und sich frei bewegen konnte. So würde auch der Junge vielleicht ruhig und mit positiven Erwartungen an einen neuen künstlichen Körperteil herantreten können.

Sogleich begann Winry, im Kopf einen Entwurf für Darishs Automail zu zeichnen.

Kapitel 3

Ein großer Fehler

Einige Tage später wandte sich Winry in der Mittagspause eifrig ihrem Schreibtisch zu. Da sich Garfiel im Atelier um einen Stammkunden kümmerte, verbrachte sie die Zeit an diesem Tag allein.

»Mal sehen, der passendste Bolzen für dieses Verbindungsstück …«

Während sie in der rechten Hand ein Sandwich hielt, betrachtete sie eingehend das Klemmbrett in ihrer linken Hand und starrte dann auf das große Blatt Papier, das auf dem Tisch ausgebreitet lag. Durch das offene Fenster fegte der Wind herein und zerzauste Winrys langes Haar, doch sie schenkte dem keine Beachtung.

»Da ins Verbindungsstück ein zwölf Zentimeter langer Leitungsdraht reinkommt, würden vielleicht Schrauben Nummer 58 passen …«

Sie steckte sich das Sandwich in den Mund und kritzelte mit einem Bleistift über die Papieroberfläche. Es handelte sich um die Konstruktionszeichnung für die Automail, die sie sich gerade für Darish ausdachte.

»Hm, diese 58er-Schrauben kann ich vielleicht auch da benutzen …«

Winry, die mit dem Brot zwischen den Zähnen in Gedanken versunken war, blätterte raschelnd den rechten Rand der Zeichnung um. Was darunter zum Vorschein kam, war ebenfalls eine Konstruktionszeichnung für eine Automail. Mit dem Gekritzel, das wohl erst einmal nur etwas festhalten sollte, und den Spuren von früheren Buchstaben, die wegradiert worden waren, sah sie noch anders aus als die schöne, für Darish gedachte Version.

Als sie in einer Ecke die Nummer der Schrauben notierte, klopfte es an der Zimmertür.

»Winry, ich komm jetzt reeein ...! Also wirklich, das gehört sich aber nicht!«

Garfiel, der die Tür geöffnet hatte, sah, wie seine Schülerin mit dem Sandwich zwischen den Zähnen einen Stift über das Papier bewegte, und warf ihr einen finsteren Blick zu.

»Als Mädchen solltest du so etwas aber nicht tun!«

»Fut, fut ir... Tut mir leid!«, entschuldigte sich Winry, nachdem sie das Sandwich, das sie sich in den Mund gesteckt hatte, hastig wieder in die Hand genommen hatte.

»Obwohl du ein hübsches Gesicht hast, verhältst du dich wie ein Junge!«

»Ich hatte einfach gerade keine Hand mehr frei ...«

»Da kann man wohl nichts machen, was?«

Winry lachte verlegen und Garfiel lächelte ihr säuerlich zu.

»Übrigens, ich wollte dich gleich um einen kleinen Botengang bitten ... Sieh mal einer an, hast du gerade an einem Entwurf gearbeitet?«

Garfiel war ins Zimmer getreten und hatte von der Seite zufällig die halb fertige Konstruktionszeichnung erspäht. »Die ist für Darish, stimmt's?«

»Ja. Das ist aber erst die Grundstruktur ... Ich habe vor, ihn nach seinen Detailwünschen zu fragen und den Entwurf dann entsprechend fertigzustellen«, sagte Winry, verharrte daraufhin und atmete tief aus. »Aber er kommt ja nicht mehr zu uns in den Laden ...«

Seit letztens hatte sich Darish kein einziges Mal mehr blicken lassen. Da er nicht eindeutig abgelehnt und Winry auch nicht gehört hatte, dass er zu einer anderen Werkstatt gegangen war, wusste das Mädchen nicht, was es tun sollte.

»Ja, stimmt. Und so kannst du keine Details mit ihm besprechen ...«

Auch Garfiel war ein wenig ratlos und tippte sein Kinn an. Sollten sie offiziell beauftragt werden, mussten sie die für die Herstellung benötigten Teile beschaffen. Es wäre daher hilfreich, möglichst schnell eine Rückmeldung zu bekommen.

Die beiden grübelten, was in der Sache unternommen werden könnte, als eine Weile später Garfiel plötzlich mit fröhlicher Stimme sagte: »Ah, ganz vergessen! Gegen Abend kommt das besagte neue Werkzeug!«

»Oh, wirklich?!« Mit einem Schlag erhellte sich Winrys Gesicht, da sie sich die ganze Zeit auf die Lieferung gefreut hatte.

»Wirklich. Geh deshalb heute von dir aus zu Darish ... Du hast doch bestimmt vor, diese Automail mit dem neuen Werkzeug zu bauen, oder?«

Garfiel stupste die Konstruktionszeichnung leicht mit der Fingerspitze an, murmelte, dass sie ein wenig vorschnell sei, und lächelte gequält.

Winry, die ihren Entwurf unter der Prämisse angefertigt hatte, das neue Elektrowerkzeug benutzen zu können, war angesichts der Tatsache, dass sie durchschaut worden war, ganz verlegen, als sie den Notizzettel mit den zu erledigenden Besorgungen entgegennahm.

»Tjaa, dann werde ich es genauso machen, wie du gesagt hast, und während der Besorgungen in Darishs Unterkunft vorbeischauen.«

Den Namen des Hotels, in dem Darish mit seiner Familie wohnte, hatte sie erfahren, als sie seine Patientenakte angelegt hatte. Sie konnte es problemlos beim Einkaufen erreichen.

»Wenn es nur irgendwie geht, so möchte ich, dass du ihm bei uns eine wunderbare Automail baust und ihm damit zeigst, dass es nicht nur schlimme Mechaniker auf der Welt gibt ... Das Material steht schon fest, oder? Was ist es denn? Zeig mal!«, sagte Garfiel, der anscheinend das Gleiche gedacht hatte wie Winry. Mit einem freundlichen Gesichtsausdruck nahm er die Planungsskizze in die Hand, um sich die Materialübersicht genau anzusehen.

Darunter kam die andere Konstruktionszeichnung zum Vorschein.

»Nanu? Das ist doch ...«

Das war der Entwurf, in den Winry seit Längerem Verschiedenes einzeichnete, wegradierte und wieder neu zeichnete.

»Ist die auch für Darish? Sie scheint für jemanden in seinem Alter zu sein.«

Anscheinend hatte Garfiel die darauf geschriebenen Zahlenwerte gelesen und aus der Größe der einzelnen Körperteile geschlossen, dass der Entwurf für ein etwa zwölf Jahre altes Kind bestimmt war.

»Nein, das ist die Konstruktionszeichnung für einen Bekannten ...«

Wenn Edward wüsste, dass er für einen Zwölfjährigen gehalten worden war, würde er vor Wut zweifelsohne explodieren und anfangen herumzuwüten.

Winry hatte das Gefühl, eine Stimme zu hören, die ›Nennt mich nicht Bohne!‹ rief, sodass ihr unwillkürlich ein Lachen entfuhr. Vor ihren Augen sah sie, wie Alphonse entnervt ›Ed, nun beruhig dich wieder!‹ sagte und versuchte, seinen Bruder zu beschwichtigen.

»Aah, du meinst deinen Kindheitsfreund, an dessen Automail du arbeitest ... Hmm. Die Zeichnung hast du ziemlich sorgfältig gemacht. Sie ist für dich etwas Besonderes, stimmt's?«

»Nee, das hat damit nichts zu tun ...!«

Etwas Besonderes. Aus irgendeinem Grund machte es sie furchtbar nervös, so etwas gesagt zu bekommen.

Garfiel, der sah, wie Winry auf einmal hektisch wurde und ihre ruhige Haltung verlor, sagte nur »Soso« und legte sich eine Hand an den Mund. »Ist dieser Kindheitsfreund von dir möglicherweise dein Angebeteter?!«

»Auf keinen Fall!«

»Süß, wie sie sich aufreeegt!«

»Das stimmt nicht! Absolut undenkbar, dass so ein Winzling mein Angebeteter sein könnte!!« Während Winry den Kopf schüttelte und Garfiels Behauptung vehement verneinte, konnte sie spüren, wie ihr Gesicht vor Aufregung rot anlief. »Ich muss los, meine Besorgungen erledigen!«

Obwohl sie hätte sauer sein sollen, war sie irgendwie verlegen. Mit einem merkwürdigen Gefühl, das sie selbst nicht verstand, stürzte Winry aus dem Zimmer.

»Viel Erfooolg ...! Also wirklich, so ganz ehrlich war sie aber niiicht! ♪«

Der Mann wedelte mit der Hand und folgte seiner Schülerin, die lauter als sonst die Treppe hinunterstapfte, belustigt mit den Augen.

»Garfiel ist echt unmöglich!«

Nachdem sie das Atelier verlassen hatte, lief Winry mit Riesenschritten die Straße entlang, die durch die Sonnenhitze flimmerte.

Winry wurde öfters damit geneckt, vielleicht weil sie mit den Elric-Brüdern von klein auf eng befreundet gewesen war, und jedes Mal widersprach sie entschieden. Doch heute hatte sie das fast zu ihrem eigenen Erstaunen aus irgendeinem Grund aufgewühlt.

Es stimmte schon: Bei dem Gedanken daran, dass die Brüder gerade an irgendeinem Ort ihr Bestes gaben, spürte sie automatisch die Motivation, sich ebenfalls anzustrengen. Auch entsprach es der Wahrheit, dass die beiden, die ihr auf diese Weise Mut gaben, für sie etwas Besonderes waren, und das erschöpfte sich nicht in ihrer Beziehung als Kindheitsfreunde.

»Aber wir sind Freunde! Kindheitsfreunde!«, beteuerte sie laut, wie um es sich selbst hören zu lassen. Dann beschleunigte sie ihre Schritte, um ihre seltsame Aufwühlung zu vertreiben.

Da geschah es.

»Uwäääh!« Aus einer Seitenstraße kam die weinende Stimme eines Kindes. Winry blieb stehen und wandte sich in die Richtung, aus der das Weinen zu hören war.

»Was da wohl passiert ist?«

Die junge Mechanikerin wechselte die Richtung und warf von der Ecke aus einen Blick in die Gasse.

Sie sah, dass sich vor einem Verkaufsstand eine kleine Menschenmenge gebildet hatte, in deren Mitte ein kleines Mädchen saß.

»Lettie!«

Die Schluchzer kamen von Darishs kleiner Schwester. Anscheinend war sie hingefallen und hatte dabei ein Regal mit Waren umgeworfen – um sie herum lagen sandige Metallteile, die nach Überresten von etwas aussahen.

»Was fällt dir ein, meine wertvollen Waren kaputt zu machen?!«

Derjenige, der brüllte, war ein unkultiviert aussehender Riese, dem der Stand anscheinend gehörte.

»Oho, dass der auf so'nem kleinen Kind herumhackt!«

»Dieser Kerl hat seinen Laden gestern in einer anderen Straße aufgeschlagen und mit Leuten Streit angefangen!«

Bei der allzu wutverzerrten Miene des Riesen bildeten die Umstehenden einen weiten Kreis und betrachteten das Geschehen mit mitleidigen Blicken, doch niemand schritt helfend ein.

»Lauf zu deinen Eltern und lass dir hundertachtzigtausend Cens für die kaputten Teile geben!«

»Nun machen Sie mal halblang!« Als sie sah, dass der Riese jeden Augenblick die Hand gegen Lettie erheben würde, trat Winry hastig vor.

»Ah, Winry ...«

Staunend riss Lettie ihre Augen weit auf. Vielleicht war es die Erleichterung, das Gesicht des älteren Mädchens zu sehen, das gekommen war, um ihr zu helfen, denn die Kleine begann noch mehr zu schluchzen. Während Winry dem weinenden Kind den Rücken streichelte, stellte sie sich entschlossen dem Koloss entgegen.

»Wer bist'n du? Die große Schwester dieser Rotzgöre?«

Mit einem misstrauischen Blick sah der Riese zu Winry hinunter, die sich ihm in den Weg gestellt hatte.

»Finden Sie es nicht erbärmlich, ein kleines Kind so zu bedrohen?!«, wies das Mädchen den Mann zurecht, ohne vor ihm zurückzuschrecken, der weitaus größer war als es selbst. Natürlich war es nicht schön, dass seine Waren beschädigt wurden – nichtsdestoweniger war seine mit Einschüchterungen gespickte Ausdrucksweise ziemlich übel.

Doch der Goliath lachte verächtlich, ohne sich zu schämen.

»Hah! Meine wertvolle Ware wurde hier zerstört! Wie willst du das wiedergutmachen?!«

Der Riese schob Lettie die Schuld zu und führte seine kaputte Ware vor. Bei dem Gegenstand, von dem etwas herunterbaumelte, das nach fünf Fingern aussah, schien es sich um eine Automail vom Ellbogen abwärts zu handeln.

»Hab ich Ihnen nicht gesagt, dass Sie aufhören sollen?« Winry stellte sich vor Lettie, doch als ihr Blick plötzlich auf die Automail fiel, legte sie den Kopf schief. »Hat Lettie die kaputt gemacht?«, fragte sie, ohne ihr Misstrauen zu verbergen.

Der Koloss lächelte dünn.

»Das sag ich doch schon die ganze Zeit, oder? Wenn du willst, kannst du den Schaden auch bezahlen!«

»War das Ding nicht von Anfang an schon kaputt?«

»Was zum ...?!« Der Mann schrak zurück.

»Dachte ich's mir doch!«

Nicht mehr gebrauchte Automails einzusammeln und weiterzuverkaufen, war ein legitimer Handel. Wenn sie noch funktionierten, war es möglich, sie anzupassen und wiederzuverwenden; waren sie kaputt, konnte man sie zerlegen und einzelne Teile entnehmen. Aber die Summe, die der Riese forderte, war hoch und setzte voraus, dass man diese Automail ordentlich hätte benutzen können.

Als Winry allerdings die Automail, die der Koloss in der Hand hielt, und die auf dem Boden herumliegenden Teile sah, durchschaute sie, dass es sich dabei um Schrott handelte, der von vornherein zu nichts zu gebrauchen war.

»Diese Automail wird mit Sicherheit nicht funktionieren, selbst wenn wir die Teile einsetzen, die hier auf dem Boden liegen. Die Schließe des Antriebsteils ist zerbrochen und die Gelenke sind furchtbar alt und verrostet. Da ist Ihr Preis seltsam hoch, oder?«

Man musste sich die Automail schon aus der Nähe ansehen und einem frischgebackenen Mechaniker würde es womöglich nicht auffallen. Doch Winry entging es nicht.

»D... Das ändert aber nichts daran, dass ich meine Ware jetzt nicht mehr verkaufen kann! Weil die Göre das Regal umgeworfen hat, ist da Sand reingekommen!«

»Wenn das so ist, dann müssen wir sie nur reinigen und den Sand entfernen, und das Problem ist gelöst, oder?«

Mit unerschrockener Miene lächelte Winry zufrieden und holte ein Werkzeug nach dem anderen heraus, bis ihre beiden Hände voll waren.

Verblüfft riss der Riese die Augen auf. Wer hätte gedacht, dass ein etwa fünfzehn Jahre altes Mädchen ein ganzes Arsenal aus Gerätschaften mit sich herumtrug? Angesichts ihrer wie bei einem Zaubertrick flinken Bewegungen staunten nicht nur die in einem weiten Kreis stehenden Leute, die beobachteten, wie sich die Dinge entwickelten, sondern auch Lettie.

Während alle sie ansahen, riss Winry dem Mann die Automail aus der Hand, schraubte an Ort und Stelle die Außenabdeckung auf und nahm sie ab. Dann fuhr sie mit dem Schraubenzieher sanft über den Innenbereich des künstlichen Arms und entfernte Sand und kleine Steinchen, die hineingeraten waren. Als Nächstes rollte sie den Notizzettel, auf dem draufstand, was sie einkaufen sollte, schmal wie zu einem Strohhalm zusammen, pustete den stecken gebliebenen Sand hinaus und fügte die überall verstreut liegenden Teile an die jeweils passende Stelle ein. Des Weiteren ersetzte sie die Bolzen des Antriebsteils, die von Anfang an kaputt gewesen waren, durch andere Teile, die einwandfrei funktionierten.

»So, jetzt haben Sie nichts mehr auszusetzen, oder? Die hier hab ich repariert, also passen Sie gut drauf auf!«

Das hatte bestimmt keine zehn Minuten gedauert. Winry drückte dem vor Verblüffung förmlich sprachlosen Mann die zum

Schluss noch glänzend polierte Automail in die Arme, nahm Lettie bei der Hand und verließ zügig die Gasse. Der Riese und die Zuschauer, denen angesichts von Winrys ausgezeichneten Fertigkeiten der Mund offen stand, folgten ihnen mit ihren Blicken.

Nachdem sie die Menschentraube hinter sich gelassen hatten und eine Weile gelaufen waren, blieb Winry auf einem kleinen Platz mit einem Springbrunnen stehen. Sie setzte Lettie auf dessen Backsteinrand und wischte mit dem Ärmel ihres Overalls die Spuren der Tränen weg, die auf ihren Wangen noch zu sehen waren.

»Du hattest bestimmt Angst! Aber jetzt ist alles gut ... Was ist mit deiner Mama und deinem Bruder?«

»Hab sie aus den Augen verloren ...«

»Wo hast du sie denn verloren? Ich suche sie mit dir zusammen!«

»Nicht weit von der Bank. Mama hat gesagt, dass sie das Geld für die Automail zurechtlegen will ... Aber Darish hat damit angefangen, dass er kein neues Bein braucht. Ich hab danebengestanden und gewartet, aber da waren so viele Leute und ich wurde weggeschubst. Deshalb bin ich vor dem Stand da hingefallen ...«

Während Lettie erzählte, wie es dazu gekommen war, dass sie von ihrer Familie getrennt wurde, erinnerte sie sich wahrscheinlich an ihre Angst, sodass ihr erneut Tränen in die Augen traten.

»Ach, so war das? Aber jetzt wird alles wieder gut. Lass uns zusammen zu deiner Mama und deinem Bruder gehen, okay?«

Winry strich sanft über das kleine Köpfchen. Da hörten sie eine Stimme, die nach Lettie rief. Sie sahen auf und erkannten Darish, der gerade den Platz betrat.

»Lettie! Wo warst du die ganze Zeit?! Nanu, du bist doch ...« Auf seine Krücke gestützt war der Junge näher gekommen. Als er neben seiner kleinen Schwester Winry bemerkte, zog er ein misstrauisches Gesicht. »Was machst du denn hier ...?«

»Ich bin zufällig vorbeigekommen, als Lettie gerade von einem Mann mit einem Verkaufsstand angepöbelt wurde.«

»Angepöbelt?«

Sofort zog Darish die Augenbrauen zusammen und sah zu seiner Schwester hinunter. In seinem Blick lag eindeutig Sorge und er schien sich Gedanken um sie zu machen. Doch die Worte, die im nächsten Augenblick seinen Mund verließen, widersprachen seiner Miene komplett und waren so hart, dass Winry zusammenzuckte: »Dummkopf!« Bei seiner unnachsichtigen Stimme bebten Letties Schultern. »Sie wurde angepöbelt, sagst du? Was hast du jetzt schon wieder angestellt?!«

»Aber ... Aber da waren so viele Leute und ich wurde weggeschubst ... Später erst hab ich gemerkt, dass ich nicht mehr wusste, wo ich war ...!«

»Genau deshalb hättest du nicht in so 'ne Stadt voller Menschen mitkommen sollen! Geh schleunigst nach Hause zurück und bleib bei Papa!«

»U... Uwäääh!«

Da sie so angebrüllt wurde, begannen erneut Tränen über Letties Wangen zu laufen – obwohl sie gerade erst aufgehört hatte zu weinen.

»H... Hey, red doch nicht so mit ihr ...!«, tadelte Winry, die sich zwischen Bruder und Schwester schob, in ruhigem Ton den

Jungen, der den Mund schon wieder aufmachen wollte. Im Atelier hatte es zwar auch eine ähnliche Szene gegeben, aber natürlich ging seine Bissigkeit jetzt zu weit.

»Lettie! Darish!« Wieder ertönte eine Stimme vom Rand des Platzes. Karen kam völlig außer Atem angelaufen. »Gott sei Dank! Leute in der Stadt haben von einem weinenden Mädchen erzählt, das dir ähnlich sieht, also haben dein Bruder und ich uns aufgeteilt und nach dir gesucht! Weil du auch nicht zum Hotel zurückgekommen bist, habe ich mir Sorgen gemacht! Ich bin ja so froh!«

»Lettie, dieser Dummkopf, scheint angepöbelt worden zu sein! Und die da sagt, dass sie sie gerettet hat«, erklärte Darish barsch seiner Mutter, die das lauthals weinende Mädchen fest in die Arme schloss.

»Ah, hab vielen Dank, Winry! Tut mir leid, dass wir dir Umstände gemacht haben!«

»Ach was, das waren doch keine Umstände!«

Als Karen sich vor ihr verbeugte, winkte Winry hastig mit beiden Händen ab. Doch die Frau machte erneut ein entschuldigendes Gesicht.

»Die Sache mit Darish tut mir ebenfalls leid. Obwohl wir mit den Besprechungen zum Entwurf noch nicht fertig waren, ist es seitdem dabei geblieben. Da der Junge nicht zu euch in den Laden kommen will, bringt er euch bestimmt in Schwierigkeiten, oder ...? Und, na ja, ich weiß, dass wir dir viele Umstände bereitet haben, aber ... würdest du die Automail immer noch bauen wollen?«

Wenn sie sich Zeit ließen, verschlechterte sich ihr Verhältnis zu den Mechanikern, und Karen war in der Vergangenheit mehrere

Male nichts anderes übrig geblieben, als den Laden zu wechseln. Offenbar befürchtete sie, diesmal den gleichen Fehler zu begehen.

»Na klar, kein Problem. Da wir die Teile erst beschaffen müssen, würde es uns helfen, wenn wir bald mit der Vorbesprechung weitermachen, aber von unserer Seite aus werden wir den Auftrag nicht ablehnen!«

»Wirklich? Das freut mich aber!« Als sie Winrys Antwort hörte, lächelte Karen zutiefst erleichtert. »Tjaa, wollen wir dann mal direkt im Laden vorbeischauen? Was meinst du, Darish?«

Karen wollte bestimmt so schnell wie möglich eine neue Automail für ihren Jungen. Auch wenn er selbst zögerte, so dachte sie als Mutter an das künftige Leben ihres Sohnes und war bereit, alles nur Erdenkliche für ihn zu tun.

Doch Darish stimmte keineswegs zu. »Ich geh nicht hin.« Wie um den Blick seiner Mutter abzuschütteln, richtete der Junge seine Krücke und machte auf dem Absatz kehrt.

»Darish!«

Wenn er hier und jetzt weggehen würde, wäre das nur eine Wiederholung dessen, was bisher geschehen war. Winry rief seinen Namen, um ihn aufzuhalten, damit sie wenigstens ein bisschen vorankamen.

Vor ihren Augen neigte sich Darishs Körper plötzlich stark zur Seite.

»Was ...?!«

Seine Prothese war an einem der Pflastersteine auf dem Platz hängen geblieben, sodass er das Gleichgewicht verlor. Die Krücke fiel dem Jungen aus der Hand.

»Pass auf!«

Blitzschnell rannte Winry zu ihm und stützte ihn zusammen mit Karen.

»Aua …!«

Während sich zwei Paar Arme um ihn schlangen und ihn festhielten, verzog Darish schmerzvoll das Gesicht. Die Prothesengurte hatten sich verdreht und drückten auf den Bereich oberhalb seines Knies. Über dem künstlichen Bein, das verrutscht war, hatte sich ein Spalt aufgetan, durch den man Wunden und blaue Flecke erkennen konnte.

Sogar Lettie hielt ihre Tränen zurück, als sie die bestimmt schmerzenden Wunden sah, und wollte näher kommen, um ihren großen Bruder zu stützen.

»Brüderchen …«

Doch Darish sah nicht einmal in die Richtung, aus der ihn die angsterfüllte Stimme angesprochen hatte, sondern schnalzte nur wütend mit der Zunge.

»Ähm, Karen, wir müssen die Prothese neu befestigen und über die Automail können wir auch hier sprechen, also … könnten Sie uns für einen kurzen Moment allein lassen?«, schlug Winry schüchtern vor. Allein die Tatsache, dass Lettie dabei war, schien Darish auf die Palme zu bringen. Jedes Mal bekam die Kleine schlimme Worte an den Kopf geworfen, die sie verletzten. Aus diesem Grund dachte Winry, dass es besser wäre, wenn sie jetzt unter vier Augen mit Darish reden würde.

Karen zögerte eine Weile, doch sie schien die Unruhe bemerkt zu haben, die ihren Sohn fest im Griff hatte, und äußerte ihre

Zustimmung nur mit ihren Augen. Sie nickte Winry zum Abschied kurz zu und verließ zusammen mit Lettie den Platz.

Als sie allein waren, ließ Winry Darish sich auf ihre Schulter stützen und setzte ihn auf den Rand des Springbrunnens.

»Autsch …«

Darish verzog das Gesicht, vielleicht weil die Stelle, an der das künstliche Bein befestigt war, auf sein verdrehtes Knie gedrückt hatte.

Winry kniete sich direkt auf den Boden, legte die Hände auf Darishs rechtes Bein und nahm die Prothese vorsichtig ab. Die Zahl der blauen Flecke, die den Stumpf über dem Knie bedeckten, hatte im Vergleich zum letzten Mal, als sie sie gesehen hatte, noch zugenommen.

»Es sieht wirklich sehr danach aus, als ob diese Prothese nicht passt … Ich denke, dass wir dir lieber früher als später eine neue machen sollten«, sagte Winry zurückhaltend, die die verdrehten Gurte fest mit den Fingerspitzen drückte, in ihre ursprüngliche Position brachte und die Schließen richtete, die sich beinahe gelöst hatten.

Darish schwieg eine Weile und strich über die Wunden oberhalb des Knies, doch dann biss er frustriert die Zähne zusammen.

»Verdammt …! Wär dieser Pferdewagen gar nicht erst umgefallen, wär das alles …!« Seine fest zusammengepressten Lippen zitterten leicht.

Eine Weile fixierte Darish die Gurte und Schließen, die vor seinen Augen in Ordnung gebracht wurden, doch sein Blick wurde allmählich ruhiger und irgendwie apathisch.

»Vor zwei Jahren ist ein Pferdewagen umgekippt, der zufällig neben mir fuhr. Vielleicht hat sich ein Rad gelöst oder vielleicht haben sich die Pferde vor irgendwas erschreckt und sind durchgegangen ... Ich weiß es nicht genau, aber an die Ladefläche, die von oben auf mich herabgefallen kam, kann ich mich klar erinnern.«

Darishs Erzählung war stockend und er ließ seinen Blick durch die Luft zu seiner rechten Fußspitze wandern, als ob er das Bein suchen würde, das nicht mehr da war.

»Gleich nachdem ich mein Bein verloren habe, bekam ich diese Prothese. Aber sie hat überhaupt nicht gepasst. Mama und Papa gaben sich selbst die Schuld, solch einen Laden ausgesucht zu haben, und wollten mir diesmal eine ordentliche besorgen, eine gute. Deshalb sind wir hier in Rush Valley. Aber ... Hey, hab ich dir schon erzählt, wo ich herkomme?«

Winry hielt in der Bewegung ihrer Hände inne und schüttelte den Kopf. »Nein. Wo denn?«

»Man erreicht es, wenn man von West City aus noch ein Stück weiter nach Norden fährt.«

»Das ist ja ganz schön weit von hier!«

»Ja.«

Das Land Amestris hatte fast die Form eines Kreises. Rush Valley befand sich in der South Area. Die Stadt, in der Darish wohnte, lag nicht weit von der North Area. Die beiden Orte waren ziemlich weit voneinander entfernt.

»Um das Geld für meine Automail und die Aufenthaltskosten aufzubringen, arbeitet Papa von früh bis spät. Er sagt, dass ich mir die Prothese vom besten Mechaniker in Rush Valley machen lassen soll. Mama will länger hierbleiben und hat vorgeschlagen, einmal nach Hause zurückzufahren, um alles zu holen, was wir im Alltag brauchen, aber ...«

Die Stimme, mit der Darish über seine Familie sprach, war von Schmerz erfüllt, und sein Gesichtsausdruck verriet, dass ihm die steigenden Kosten leidtaten. Dennoch schob Darish die Anfertigung der Automail auf. Was ihr als Grund hierfür in den Sinn kam, sprach Winry laut aus: »Du kannst Mechanikern nicht vertrauen, oder?«

»Hmm«, antwortete der Junge sofort.

Hatte er ohne zu zögern antworten können, weil sein Misstrauen so stark war? Winry glaubte zwar nicht, dass sie es so einfach zerstreuen konnte, doch sie sah zu ihm hoch und sagte, ihre Worte so sorgfältig wie möglich wählend: »Ich glaube, dass du wegen der Prothese, die du jetzt trägst, furchtbar gelitten hast. Aber wenn du eine ordentlich konstruierte Automail bekommst, wirst du dich viel besser bewegen können als jetzt. Du wirst auch laufen und springen können! Dein jetziges Bein stellt eine Belastung für deinen Körper dar, aber ich werde dir auf jeden Fall ein richtig passendes bauen. Versprochen!«

Da sah Darish das Mädchen mit ernster Miene ebenfalls an.

»Wie würde ein richtig passendes Bein denn aussehen ...?«

»Mh?«

»Sind Automails denn so gut?«

Der Junge stellte gleich mehrere Fragen, als wäre sein Interesse geweckt, woraufhin Winry energisch nickte. Ging es um die Vorteile von Automails, konnte sie unaufhörlich weiterreden.

Wenn Darish das nur hören und sein Vertrauen in künstliche Gliedmaßen wenigstens etwas wiedergewinnen könnte!

Bei diesem Gedanken füllten sich ihre Worte wie von selbst mit Kraft: »Mit dem Körperwachstum des Trägers einhergehend sind zwar mehrere Anpassungen notwendig, doch sofern es möglich ist, kannst du genau das Bein bekommen, das du haben willst. Durch die Zusammensetzung des Metalls kann man das Gewicht zu einem gewissen Grad verändern, ebenso können verschiedene Funktionen hinzugefügt werden, und ich kenne sogar ein Mädchen, in dessen Beinen Waffen verbaut sind! Darish, was für ein Bein hättest du denn gern?«

»Besondere Funktionen brauche ich nicht.«

»Dann also etwas Schlichtes, ja? Du machst einen aktiven Eindruck – wie wär's, wenn wir den Bewegungsbereich der Gelenke breit ansetzen und damit die Beweglichkeit erhöhen? Vielleicht wäre es auch gut, ein hartes Material zu verwenden, das eine Menge aushält. Wenn es dir nicht gefallen sollte, kann man es auch austauschen.«

»Du kannst ja alles machen, nicht wahr?« Darish lächelte Winry, die sich bemühte, in einem fröhlichen Ton zu sprechen, leicht zu. »Tjaa, kannst du mir dann auch ein Bein machen, das genauso wäre wie mein früheres?« Die Stimme des Jungen war furchtbar kalt und klang dennoch, als ob er etwas unterdrückte. Um seine Lippen hing noch kaum merklich ein Lächeln, aber seine Augen lachten nicht. »Ein Bein, wie ich es will? Ein Bein, das man austauschen kann? Warum sagst du nur ständig so was? Was ich mir wünsche, ist keine Automail als Bein. Nur mein altes.«

Seine wuterfüllten Augen starrten Winry finster an, die von seinen Worten und seiner Stimme unwillkürlich eingeschüchtert wurde.

»Ich bin unter den Wagen geraten, hab das Bewusstsein verloren und als ich wieder zu mir kam, war mein Bein weg. Ich kann es immer noch nicht glauben ... Und trotzdem kommen mir Ärzte, Mechaniker und auch du voll Selbstsicherheit mit ihren Empfehlungen – Ersatzbeine gibt's mehr als genug, lass uns dir ein gutes machen ...!«

Darish riss Winry die Prothese grob aus den Händen und warf sie auf den Boden. Tränen stiegen ihm in die Augen.

»Ein passenderes Bein als mein altes gibt's sowieso nicht! Austauschen funktioniert nicht! Laber nicht leichtfertig was von Ersatz! Für mich gibt's kein besseres Bein als mein altes! Warum kapierst du's nicht?!« Während der Junge heftig nach Atem rang, wischte er sich mit dem Arm energisch die Tränen ab, doch sie hörten nicht auf zu laufen und fielen in dicken Tropfen zu Boden. Nachdem Darish einmal tief durchgeatmet hatte, fuhr er mit zitternder Stimme fort: »Lettie ist eine fürchterliche Heulsuse. Sie fällt ständig hin oder verläuft sich und fängt dann jedes Mal an zu flennen! Deshalb bin ich früher immer zu ihr gerannt und hab ihr geholfen. Ich musste sie beschützen!«

»Darish ...« Winry war wie erstarrt und konnte nur reglos zuschauen, wie dem Jungen dicke Tränen aus den Augen kullerten.

»Als wir nach Rush Valley fuhren, hab ich Lettie gesagt, dass sie zu Hause bleiben soll! Doch sie ist mitgekommen! Wie früher kommt sie überallhin mit ...! Sie macht's, obwohl ich sie nicht mehr beschützen kann!«

Da erfuhr Winry überhaupt erst den wahren Grund dafür, warum sich Darish seiner kleinen Schwester gegenüber so böse zeigte.

Dass er Lettie, die im Laden seine Krücke gehalten hatte, kalt angepflaumt hatte, lag an seiner Wut sich selbst gegenüber, weil er für seine Schwester eine Bürde war. Trotz seiner sorgenvollen Miene hatte er sie angebrüllt, als ihm zu Ohren gekommen war, dass man sie angepöbelt hatte, weil er sich über sich selbst ärgerte, dass er sie nicht hatte retten können.

Das Verhältnis zwischen Bruder und Schwester war gar nicht schlecht. Wenn Lettie dabei war, wurde ihm nur seine eigene Lage vorgehalten, dass er sie als großer Bruder nicht wie früher beschützen konnte, und das frustrierte ihn.

Schluchzend redete sich Darish in Rage: »Auf meine Beine war ich stolz, denn mit ihnen konnte ich immer am schnellsten zu ihr hinrennen! Mein Bein war einzigartig! Und sag nicht, dass du mir ein besseres als früher machen könntest, wo du nicht mal so viel über mich wusstest!«

»I...« Auf diese hoch emotionalen, aus tiefstem Inneren ausgestoßenen Worte vermochte Winry nichts zu erwidern.

An jenem Tag, an dem Darish auf der Straße mit Winry zusammengestoßen war, hatten ihn nicht die Wettkämpfe im Gewichtheben abgelenkt, sondern die Kinder, die nach Herzenslust herumgelaufen waren. Dass er ohne zu grüßen in den Laden gekommen war, hatte daran gelegen, dass er in Gedanken bei seinem alten Bein gewesen war.

Nachdem er die in seiner Brust lange aufgestauten Gefühle ausgestoßen hatte, wischte sich Darish noch einmal über seine Wangen. Diesmal kamen keine Tränen mehr nach. Doch es sah auch so aus, als ob er sein Herz in diesem Moment gänzlich verschloss, weil niemand seine Empfindungen verstand.

Der Junge entzog sich Winry, die sich nicht rühren konnte, bewegte sich auf einem Bein zu der Prothese, die auf dem Boden lag, und stülpte sie wortlos über seinen Stumpf.

Darishs kleine Gestalt ließ – das kaputte Bein nachziehend – den Platz hinter sich zurück und verschwand im Getöse Rush Valleys. Doch sein Gefühlsausbruch, den Winry soeben erlebt hatte, hallte nach und würde wohl ewig in ihrer Brust haften bleiben.

»Ich ... Was für rücksichtslose Dinge hab ich nur gesagt ...«

Winry erblasste und sank genau dort zu Boden, wo sie gekniet hatte.

Darish misstraute nicht einfach nur seiner Schmerzen verursachenden Prothese und den Mechanikern, die so etwas gebaut hatten. Die unsensible Einstellung dieser Leute, die bloß eifrig von ihrer eigenen Technologie erzählten und einseitig über nichts anderes als künstliche Gliedmaßen redeten, verletzte ihn.

Gerade weil er in der Vergangenheit so schlechte Erfahrungen gemacht hatte, wollte Winry ihm diesmal die allerbeste Automail bauen. Doch vieles von dem, was sie in diesem Sinne zu ihm gesagt hatte, war für Darish gleichbedeutend damit, dass sein früheres Bein abgelehnt wurde, sonst nichts. Winry hätte sich darauf konzentrieren sollen, die Gefühle des Jungen, der sein Bein verloren hatte, nachzuvollziehen und ihm zunächst einmal ihr Ohr zu leihen.

Auf dem ausgetrockneten Erdboden ballte die junge Mechanikerin ihre Hände zu Fäusten. Der Sand rieselte knirschend durch ihre Finger.

»Ich habe vergessen, auf seine Gefühle einzugehen …«

In Winrys Kopf tauchten die Gesichter vieler ihrer Kunden auf.

Milia wollte, dass sie ihre Automail abnahm und sie sich ansah. Kaas hatte sich Sorgen darüber gemacht, dass sich die Pflegemethoden seiner Prothese ändern würden. Auch sonst gab es so einiges, was ihr einfiel. *»Dieses Teil ist gut!« »Lassen Sie sie uns anpassen, wenn sie nichts taugen sollte!« »Es wird ein bisschen wehtun, aber du wirst bald nichts mehr davon merken!«*

Winry hatte ihren Kunden gegenüber solche und ähnliche Sätze geäußert, basierend auf der Annahme, in der jeweiligen Situation das Beste zu sagen. Sie hatte geglaubt, ihre Kunden mit diesen Worten zufriedenzustellen. Doch wie sah es wohl in Wirklichkeit aus? Hatte Milia nicht ein besorgtes Gesicht gemacht und Kaas ziemlich gezögert, bis er eine Entscheidung getroffen hatte?

»Sie haben sich alle Sorgen gemacht, doch ich …« Die junge Mechanikerin atmete tief durch, wie um die Schwere, die sie spürte, wenigstens etwas herauszulassen. Doch daraus wurde nicht mehr als ein schwacher Seufzer, der an ein Zittern erinnerte.

Im Vergleich zu jetzt hatte sie in Resembool weder über Technik noch Wissen noch Material verfügt. Doch sie konnte mit Gewissheit sagen, dass sie trotz der Einschränkungen immer ihr

Bestes gegeben hatte. Damit ihre Kunden zufrieden waren, hatte sie sich stets den Kopf darüber zerbrochen, ob nicht noch irgendetwas wehtat oder störte.

Doch mit Technik, Wissen und neuen Materialien wich diese Besorgnis allmählich. Obwohl sich Letztere völlig von ersteren Dingen unterschied, hatte Winry geglaubt, dass sie durch das Überwiegen der einen Seite die andere ausgleichen könnte. Die Freude darüber, dass sie etwas schaffte, was sie früher nicht konnte. Das Glück, Materialien präsentieren zu können, die es bisher nicht gegeben hatte. Je mehr sie sich von so etwas vereinnahmen ließ, umso mehr Sachen gab es, die ihr abhandenkamen, bemerkte das Mädchen bestürzt.

»…«

Langsam stand Winry auf und schleppte sich mit schweren Beinen weiter. Nachdem sie ihre Einkäufe erledigt hatte, zog sie sich ins Atelier Garfiel zurück.

Das neue Elektrowerkzeug, auf das sie sehnsüchtig gewartet hatte, war bereits in der Werkstatt angekommen. Mit gemischten Gefühlen betrachtete die junge Mechanikerin das nagelneue Gerät, das in der Abendsonne strahlte. *Wenn ich mit diesem Werkzeug eine prächtige Automail baue, würde sich bestimmt auch Darish freuen.*

Bei diesem oberflächlichen Gedanken schämte Winry sich über sich selbst.

Kapitel 4

Rückschläge am laufenden Band

Garfiel wurde als Erster auf die Veränderungen in Winrys Arbeitsweise aufmerksam.

»Morgen, Winry ... Hm, warst du wieder die ganze Nacht wach?!«

Als er den Arbeitstisch im Atelier sah, riss der Mann, der zu seiner üblichen Zeit aufgestanden war, erstaunt die Augen auf.

Normalerweise lagen vor der Ladenöffnung die Automail, mit der sie sich am Morgen als Erstes befassen würden, sowie poliertes Werkzeug darauf. Doch auf der Arbeitsfläche, die gründlich aufgeräumt hätte sein müssen, befanden sich unter anderem ausgetauschte Teile, Schrauben und ölverschmiertes Werkzeug.

»Guten Morgen! Ich bin gleich mit der Arbeit hier fertig und mache dann sofort das Rolltor auf, okay?«

Nachdem Winry, die gerade mit der Reparatur einer Automail beschäftigt war, fröhlich lächelnd zurückgegrüßt hatte, machte sie sich daran, den letzten Bolzen festzuziehen.

»Gestern Abend gab's aber nichts, das ohne eine Nachtschicht nicht fertig geworden wäre ...« Garfiel legte den Kopf schief. Er bemerkte, dass es sich bei der Automail unter Winrys Fingern um die eines Kunden von gestern handelte. »Mussten bei der nicht bloß die Schrauben an den Gelenkteilen ausgetauscht werden?«, fragte er misstrauisch.

Darauf Winry antwortete unbekümmert, als sei nichts weiter dabei: »Das war der ursprüngliche Plan, aber weil der Kunde sich Sorgen gemacht hat, ob auch im Inneren etwas verbogen sein könnte ... Er wird wohl zur Mittagszeit vorbeikommen, daher wollte ich alles erledigt haben, bevor wir den Laden aufmachen.«

»Du brauchst solche Aufträge, bei denen die zeitlichen Vorgaben oder andere Bedingungen kaum zu erfüllen sind, nicht auf Teufel komm raus anzunehmen. Bist du nicht auch vorgestern wegen so einer umständlichen Aufgabe die ganze Nacht aufgeblieben?«

Garfiel war schon halb entnervt, als Winry endlich ihre Arbeit beendete und den Schraubenzieher hinlegte.

»Puh, fertig! Dann ... muss ich jetzt alles vorbereiten, damit wir den Laden öffnen können!«

Winry wischte sich mit dem Handrücken den Schweiß von der Stirn und füllte Wasser in den Eimer, der in einer Ecke bereitgestanden hatte, ohne dass ihr Zeit geblieben wäre, sich auszuruhen. Die Pflege der Gerätschaften und Werkzeuge, die zu ihren täglichen Aufgaben gehörte, hatte sie bereits am späten Abend erledigt, sodass nur noch der Boden gewischt werden musste.

»Also wirklich ...«

Garfiel zuckte mit den Achseln in die Richtung des Mädchens, das ohne Anzeichen von Müdigkeit wie immer fleißig den Besen schwang.

»Geh dich erst mal duschen! Ich schätze es nicht, wenn du bereits vor der Ladenöffnung schmutzig bist.«

»Mh?«

Wie vor den Kopf geschlagen blickte Winry an sich selbst hinunter. Da erst bemerkte sie, dass sie am ganzen Körper mit Schweiß und Öl verschmiert war.

»Das tut mir leid! Ich mach mich sofort fertig!«

Es stimmte – Kunden so zu bedienen war unhöflich. Hastig lief Winry ins Obergeschoss hinauf und stürmte ins Badezimmer. Als sie ihre Haut mit der Seife bearbeitete, während das warme Wasser über sie lief, flossen Metallsplitter und schwarz verfärbter Schaum in die Abflussrille.

»Wah, ich starre ja wirklich vor Dreck! Gott sei Dank bin ich aber noch rechtzeitig fertig geworden!«, freute sich das Mädchen, dass sie die Wartung soeben noch sicher hatte abschließen können, und schrubbte sich unter lautem Plätschern den ganzen Körper sauber.

Winry achtete jetzt darauf, auf jeden einzelnen Kunden intensiv einzugehen. Als sie begriffen hatte, dass sie nicht in der Lage gewesen war, sich im Hinblick auf Darishs Gefühle rücksichtsvoll zu zeigen, hatte sie ihre bisherige Arbeitsweise überdacht und beschlossen, von da an den Befindlichkeiten der Kunden allerobersté Priorität einzuräumen.

Nachdem sich Winry geduscht und umgezogen hatte, frühstückte sie allein und blickte aus dem Fenster. Der Rauch, der überall aus den Schornsteinen strömte, verkündete den Beginn eines geschäftigen Tages.

»Ich hoffe, dass ich Arbeit abliefern kann, die meine Kunden zufriedenstellt!«, sprach Winry ihre neue gewonnene Einstellung laut aus, um sie nicht zu vergessen, und klatschte sich die Hände auf die Wangen, um sich selbst anzuspornen.

Gleich nach dem Öffnen des Ladens kam der Besitzer der Automail, mit deren Wartung Winry gerade erst fertig geworden war.

»Morgen! Tut mir leid, dass ich früher da bin als geplant, aber kannst du mir vielleicht das Bein dranmachen, das ich gestern bei euch abgegeben habe? Ich muss wegen der Arbeit ganz plötzlich etwas weiter verreisen, verstehst du? Ist die Reparatur schon fertig?«

»Ja! Ich habe mir auch das gesamte Innenleben angeschaut. Nirgends gab es Problemstellen. Ich mache es Ihnen gleich dran, also bitte hier entlang!«, sagte Winry nickend und bot dem Kunden einen Stuhl an. Der Anzugträger machte große Augen. Er war zwar gestern im Laden gewesen, aber erst ganz kurz vor Ladenschluss. Auch ihm war klar, dass eine Wartung, bei der sogar das Innere der Automail zerlegt werden musste, ihre Zeit brauchte.

»Das Innenleben ... Heißt das, dass du dir alles angeschaut hast?! Von gestern auf heute? Wie's aussieht, musst du wohl die Nacht durchgearbeitet haben. Das tut mir leid.«

Als Winry ihm die Prothese abnahm, die er anstelle seiner Automail getragen hatte, sah der Mann sie entschuldigend an.

»Nein, nein, machen Sie sich bitte keine Gedanken!« Nachdem sie das künstliche Bein mit einem Scheppern komplett abgenommen hatte, holte Winry die frisch gewartete Automail aus dem Regal. »Gut, dann mache ich sie jetzt dran, okay?«

Sie hockte sich zu seinen Füßen hin, brachte den Schraubenschlüssel am Bolzen des Verbindungsstücks an und legte Kraft in ihren Arm. »Dann wollen wir mal ...! Eins, zwei und drei!«

»Uuhm ...!« Bei dem Schock und dem Schmerz in der Sekunde, in der sich die Nerven verbanden, stöhnte der Mann leise auf. »Ha ha, das ist das Einzige, an das ich mich niemals gewöhnen werde!«

Er lachte peinlich berührt, vielleicht weil er sich dafür schämte, dass ihm trotz seines Alters unwillkürlich ein solcher Laut entfahren war.

»Wie fühlt es sich an? Sind die Bewegungen irgendwo schwerfällig?«

»Nein. Die Schrauben an der Außenverkleidung sitzen auch fest und machen keine komischen Geräusche, also alles gut!« Der Mann erhob sich, beugte und streckte das Bein, machte ein paar Schritte und lächelte zufrieden. »Ich muss gleich zu wichtigen Geschäftsverhandlungen in eine andere Stadt, aber weil du mein Bein so gründlich gecheckt hast, muss ich mir darüber keine Gedanken mehr machen und kann mich auf die Arbeit konzentrieren. Hab vielen Dank!«

Der Mann bezahlte und brach zu seiner Arbeit auf. Winry trat auf die Straße hinaus und verabschiedete sich von ihm. »Vielen Dank, dass Sie uns beehrt haben!«

Das Licht der Morgensonne stach fast schmerzhaft in ihre vom Schlafmangel erschöpften Augen, doch Winry ließ sich davon in keiner Weise stören.

Am Nachmittag desselben Tages kam Kaas in den Laden.

»Guten Tag, Winry! Ich bin gekommen, um mir die Konstruktionszeichnung zeigen zu lassen.«

»Willkommen, Herr Kaas! Bitte nehmen Sie hier Platz! Ähm ... der Entwurf für Herrn Kaas ...«

Nachdem sie aus der Schachtel, in der sich zusammengerollte Papierbögen befanden, zwei Konstruktionszeichnungen herausgesucht hatte, breitete sie zunächst einmal eine davon auf dem

Tisch aus. »Das ist die, die ich aus dem neuen Material bauen würde – das, von dem ich Ihnen letztes Mal erzählt habe.« Winry deutete mit dem Finger auf den Kniebereich in der Zeichnung. Das Material, das sie für Kaas, der sich eine leichtere Automail wünschte, ausgesucht hatte, war so designt, dass es sich mit der neuesten Technik noch dünner verarbeiten ließ. »Den Bereich von hier bis hier habe ich drei Millimeter dünner gemacht als bisher.«

»Was sind das für Linien hier, die sich kreuzen?«

»In die Teile, die ich dünner gemacht habe, würde ich schmale Metallstäbe über Kreuz einfügen, um sie zu verstärken. Auf dieser Zeichnung sieht man das Ganze von hinten, und im Vergleich zu der Automail, die Sie jetzt tragen, würde diese fünfzehn Prozent weniger wiegen.«

Kaas, dessen Augen dem Entwurf folgten, während er der Erklärung lauschte, nickte bei dieser Zahl deutlich, wie um zu zeigen, dass er mehr als einverstanden war.

»Das würde mir echt weiterhelfen ... Wenn ich mir dann noch die Pflegemethode vernünftig einpräge, dürfte es keine weiteren Schwierigkeiten geben.«

Als er das sagte, senkte Kaas kaum merklich die Stimme. Obwohl er bereits zugestimmt hatte, schien ihm dieser Punkt Sorgen zu bereiten.

»Was das angeht – könnten Sie sich das hier einmal ansehen?«

Schüchtern breitete Winry ein weiteres Blatt Papier aus. Es handelte sich um den Entwurf einer Automail, die sich mit der gleichen Methode wie die bisherige instand halten ließ und dennoch leichter als diese war.

»Herr Kaas, Sie sagten, dass es Ihnen Schwierigkeiten bereiten würde, wenn Sie sie anders pflegen müssten, also habe ich nach einem weiteren Material gesucht, das Ihren Vorstellungen entgegenkommt. Allerdings wäre der Preis ein ganz klein wenig höher als bei der Automail eben ...«

»Ach herrje, hast du extra noch einen Entwurf gemacht?«

Ein wenig überrascht lehnte sich Kaas vor und betrachtete die Zeichnung.

»Ja. Ich kann sie zwar nicht so leicht machen wie die, die ich Ihnen gerade gezeigt habe, aber die Pflege lässt sich genauso bewerkstelligen wie bisher.«

»Oho, bei der hier ist die Form der Schrauben anders, stimmt's?«

»Ja. Weil ich das Hauptteil an sich nicht noch leichter machen kann, wollte ich das Gewicht wenigstens durch die anderen Teile etwas reduzieren.«

Winry löste eine Schraube, die mit Klebeband am Rand der Konstruktionszeichnung befestigt war, und reichte sie Kaas. Sie war handgefertigt. Da bei diesem Metall das Abfeilen schwierig war, nahm der Trend, Kleinteile daraus anzufertigen, weiter ab, doch Winry hatte immer wieder mit dem neuen Elektrowerkzeug geübt und die Schraube auf diese Weise vervollkommnet.

Als das Mädchen mit seinen Erklärungen zu den Entwürfen fertig war, legte es sie nebeneinander auf den Tisch.

»Was meinen Sie?«

Kaas hatte die freie Wahl zwischen den beiden. Es war wichtig, etwas bereitzustellen, was seinen Wünschen entsprach, damit er sich aus Überzeugung für etwas entscheiden konnte.

»Soll ich dann mal die hier nehmen?«

Er deutete auf die Zeichnung der Automail, deren Pflege sich nicht von der der bisherigen unterschied.

»Alles klar! Dann werden wir die Anfertigung hier übernehmen.«

Mit einem roten Stift markierte Winry die Konstruktionszeichnung, auf die die Entscheidung gefallen war, mit einem großen Kreis.

»Ja, ich bitte darum.«

Kaas erhob sich von seinem Stuhl und wollte direkt nach draußen gehen, als er stehen blieb. »Übrigens, warum hast du gleich zwei Entwürfe für mich vorbereitet?«

»Das ...« Winry unterbrach sich beim Zusammenrollen der Zeichnungen und sagte zurückhaltend: »Da Sie, Herr Kaas, derjenige sein werden, der die tägliche Pflege übernimmt, wollte ich etwas bauen, das Ihren Wünschen am meisten entspricht. Außerdem macht es mich glücklich, wenn Sie Ihre Automail für lange Zeit ordentlich verwenden können, und dafür ist etwas Pflegeleichtes offensichtlich am besten, nicht wahr?«

»Verstehe ...«

Kaas' Augen wurden zwar schmaler, als ob ihn etwas blendete, wobei sich seine Augenwinkel in Falten legten, doch die Hand, die er im Vorbeigehen sanft auf Winrys Schulter legte, drückte Dankbarkeit aus.

Die Berührung seiner großen, knochigen und warmen Handfläche ließ in Winrys Herzen Freude aufwallen.

Am Nachmittag passte die junge Mechanikerin einen Moment ab, in dem der Strom aus Kundschaft abriss, und sagte zu ihrem Meister, der mit einer Reparatur für einen Stammkunden beschäftigt war: »Garfiel, dürfte ich kurz weg? Ich bin mit der Gesamtüberprüfung von Milias Automail fertig geworden und möchte zu ihr gehen, um sie wieder festzumachen.«

Winry war vorgestern bei Milia zu Hause gewesen und hatte die Automail angenommen. Nach einer gründlichen Untersuchung war sie zu dem Ergebnis gekommen, dass mit ihr alles in Ordnung war und sich Milia die beklagte Fehlfunktion wohl letzten Endes nur einbildete. Das wollte sie dem Mädchen schnell berichten.

»Gehst du zu ihr nach Hause?« Garfiel, der gerade die Automail eines Kunden ölte, unterbrach sich in der Bewegung und schaute seine Schülerin fragend an. Schließlich machten sie im Atelier Garfiel für Wartungen grundsätzlich keine Kundenbesuche.

»Ich dachte, dass es mit einem Bein, das sich noch ungewohnt anfühlt, schwierig ist, hierherzukommen.«

Milias Haus befand sich auf der gegenüberliegenden Seite von Rush Valley in Richtung der Berge, die das Zentrum der Stadt umschlossen, sodass das Mädchen steile Treppen und Abhänge hätte passieren müssen. Nicht zuletzt, weil Winry die Automail selbst angenommen hatte, wollte sie alles für sie tun, was in ihrer Macht stand.

»Das verstehe ich, aber ... Wäre es nicht wichtiger, dass du dich mal kurz hinlegst?« Garfiel hatte die Ringe unter Winrys Augen bemerkt. »Ich finde es richtig toll, dass du deine Kunden wichtig nimmst. Aber wenn du deinen Körper ruinierst, bringt das alles nichts!«, riet er ihr mit leichter Strenge.

Daraufhin ballte das Mädchen beide Hände fest zu Fäusten und hob sie vor ihre Brust.

»Ich bin okay! Mich kann schon seit meiner Kindheit nichts so leicht umwerfen!«

Als Garfiel ihre Körperhaltung sah, mit der sie wohl ihre Robustheit zum Ausdruck bringen wollte, seufzte er ratlos.

Winrys Fähigkeiten bei der Arbeit wurden immer besser und auch bei den Kunden genoss sie einen äußerst guten Ruf. Doch wenn sie sich weiterhin übernahm, würde sie irgendwann nachlassen. Nicht nur ihre Konzentrationsfähigkeit und ihr Einfallsreichtum würden leiden, sondern sie würde sich auch nicht mehr um die Dinge in ihrem Umfeld kümmern können. Tatsächlich bedeckte bereits Staub die Regale, den Boden und vor allem das alte Werkzeug aus ihrer Zeit in Resembool, das Winry so viel bedeutete, obwohl sie sich am Anfang so viel Mühe mit dem Putzen gegeben hatte. Garfiel dachte, dass er sie als Älterer darauf aufmerksam machen musste, und setzte an: »Hör mal, Winry ...«

Aber die Stimme des Mannes aus dem Laden nebenan kam ihm zuvor und hallte durch das Atelier:

»Hey, iiihr! Unternehmt gefälligst was wegen der Kisten, die auf der Straße rumstehen!«

»Oh, entschuldigen Sie bitte!« Mit eiligen, polternden Schritten stürzte Winry nach draußen vor den Laden. »Ich räume sie sofort weg!«

»Sie blockieren sogar den Zugang zu meinem Geschäft! Stellt die Kisten sofort bei euch rein!«

Normalerweise prüfte Winry zuerst, ob die gelieferten Teile der Bestellung entsprachen, und brachte sie dann ins Atelier, doch heute hatte sie keine Zeit gehabt, sodass sie immer noch draußen herumstanden.

Das Mädchen nahm zwei große Kartons auf einmal in die Arme und stellte sie plumpsend im Atelier ab. Ohne den Inhalt überhaupt zu prüfen, schulterte sie den Karton, in dem sich Milias Automail sowie ihr Werkzeug befanden.

»Wenn ich nicht gleich aufbreche, wird es zu spät! Bis nachher dann!«

»Hey, Moment mal ...!«

Doch Garfiels Stimme, die Winry aufzuhalten versuchte, kam nicht an bei dem Mädchen, das mit wogendem Haar schon fröhlich loslief.

Winry verließ das Atelier und machte sich schnurstracks auf zu Milias Haus.

Als sie zu der Uhr hochsah, die in einem Winkel der Stadt aufgestellt war, zeigten ihre Zeiger gerade auf fünfzehn Uhr. Im oberen Abschnitt dieser großen mechanischen Uhr, die anscheinend von den in der Stadt lebenden Automail-Mechanikern gebaut worden war, befanden sich Arme, die einen Hammer hielten, sowie eine Glocke. Der Mechanismus sah vor, dass sich diese Arme zu bestimmten Zeiten bewegten, den Hammer schwangen und die Glocke schlugen.

Über dem Kopf des Mädchens erklang die Glocke dreimal und verkündete allen, die irgendwo in der Stadt arbeiteten, die aktuelle Uhrzeit.

»Da dachte ich noch, dass sie vorhin gerade erst zwölf geschlagen hat, wo's in Wirklichkeit schon so spät ist!«

Sie würde wohl erst gegen siebzehn Uhr ins Atelier zurückkehren.

Winry hatte vor, danach den ersten Konstruktionsentwurf für einen neuen Kunden zu erstellen und die Automail noch einmal zu checken, mit dessen Wartung sie am Vortag fertig geworden war.

Die junge Mechanikerin hielt die Automail fest in ihren Armen und schlängelte sich im Laufschritt hastig zwischen den Leuten hindurch.

Sie hatte viel zu viel zu tun. Doch das Lächeln in den Gesichtern ihrer Kunden hatte beträchtlich zugenommen. Angesichts ihrer Arbeitsweise und Rücksichtnahme hatten die vielen Menschen, die Winry in den letzten Tagen bedient hatte, alle zufrieden gelacht und sie vertrauensvoll angeblickt. Das machte sie am allerglücklichsten und spornte sie an.

Während das Mädchen weiterlief und in vollen Zügen ein angenehmes Gefühl der Erfülltheit genoss, hörte es von irgendwoher eine bekannte Stimme: »Hallo, ich nehme einen Schokokeks und Orangensaft und ...«

Die junge Mechanikerin drehte sich um und sah, wie Lettie und Darish gerade vor einem Straßenstand das Menü betrachteten und eine Bestellung aufgaben.

Der Laden, für den über einer großen Auslage ein Dach befestigt worden war, bot neben Säften aus Gemüse und Obst auch Naschereien wie Muffins und Kekse an. Abends wurden Alkohol und Knabberzeug angeboten, doch tagsüber, wenn es heiß war, wurden hier gekühlte Getränke verkauft.

Winry blieb stehen und betrachtete von hinten die beiden auf der anderen Seite der Straße, auf der Menschen entlangströmten.

Seit damals hatte sie Darish nicht wiedergetroffen. Von sich aus kam er nicht vorbei und das Mädchen hatte auch nicht den Mut, zu ihm zu gehen.

Doch sie wünschte sich eine Gelegenheit, noch einmal mit ihm zu reden, wenn es möglich sein sollte, und wenn nicht, wollte sie sich wenigstens entschuldigen.

Winry bekam es mit der Angst zu tun, aber die lächelnden Gesichter der Kunden, die sie in den vergangenen Tagen bedient hatte, machten ihr Mut, auf die Kinder zuzugehen.

Darish hatte sich auf seine Krücke gestützt an den Tresen des Verkaufsstandes gelehnt und hing wohl irgendwelchen Tagträumen nach. Lettie betrachtete das Menü und redete eifrig mit ihm, doch der Junge schien mit seinen Gedanken ganz woanders.

»Darish …«

Als Winry zu ihm ging und ihn entschlossen ansprach, drehte er sich wie von der Tarantel gestochen um.

»Ah, Winry!« Auch Lettie bemerkte sie und flog auf sie zu. Während Winry ihren kleinen Körper mit beiden Armen umfing, sah sie Darish geradeheraus in die Augen.

Der Junge wandte seinen Blick allerdings auf der Stelle ab.

»Hallo!«

Obwohl Winry ihn begrüßt hatte, stand er weiterhin mit abgewandtem Gesicht und einem Ellbogen auf den Tresen gestützt da und antwortete nicht. Vielleicht war es ihm zuwider, ihr in die Augen zu sehen oder mit ihr zu reden. Winry stach es ins Herz.

Nur Lettie sah unschuldig zu dem älteren Mädchen hoch.

»Bist du auch hier, um dir einen Saft zu kaufen? Ich habe einen Orangensaft bestellt! Und mein Bruder einen Apfelsaft! Und dann essen wir noch Schokokekse!«

»Was habt ihr denn für eure Mama bestellt?«, fragte Winry mit einem schwachen Lächeln zurück, während sie den Schmerz in ihrer Brust über sich ergehen ließ.

Da machte Darish endlich den Mund auf: »Mama ist nach Hause gefahren. Sie kommt aber übermorgen wieder.«

»Ach so ...«

Winry hatte gehört, dass der Vater der Kinder allein bei ihnen zu Hause, weit weg von Rush Valley, geblieben war. *Karen ist wohl für eine Weile zurückgefahren, um nach ihrem Ehemann und dem Haus zu sehen.* Vielleicht dachte Darish, dass Winry gekommen war, um sich einen Saft zu kaufen, denn er rückte vom Tresen weg, wobei er weiterhin wegschaute.

»Du willst dir doch bestimmt auch einen kaufen?«

»Nein, will ich nicht.«

Als sie mit der Hand wedelnd verneinte, gab Darish einen gleichgültigen Laut von sich, der weder nach einer Rückmeldung noch nach einem Seufzer klang.

Weil sich ein Gespräch entwickelt hatte, auch wenn es kaum der Rede wert war, hatte Winry das Gefühl, dass sich die dicke Luft zwischen ihnen beiden etwas gelöst hatte. Das Mädchen stellte sich erneut aufrecht vor Darish hin.

Ihre ersten Worte standen fest: »Es tut mir leid, wie ich mich neulich verhalten habe.« Das Mädchen verneigte sich. »Ich habe geglaubt, dass man die besten Automails bauen kann, wenn man die Technik dafür hat, und dadurch auch die Kunden alle zufrieden wären. Doch dieser Glaube hat dich verletzt. Es tut mir wirklich sehr leid.«

Mit vollem Ernst verbeugte sich Winry nun tief. Ihr Haar, das ihren Rücken bedeckt hatte, rutschte fließend herunter und schwang neben ihren Wangen hin und her.

Als sie eine Weile später den Kopf hob, hatte Darish vor ihr die Augenbrauen zusammengezogen und sah sie misstrauisch an. Lettie, die nicht wusste, worum es ging, betrachtete verblüfft abwechselnd Winry und ihren Bruder.

»Ich gebe mir jetzt Mühe, den Kunden gut zuzuhören, viel mit ihnen zu besprechen und Arbeit abzuliefern, die auf den jeweiligen Menschen Rücksicht nimmt. Ich kriege das zwar noch nicht immer gut hin, versuche aber, diesen Vorsatz niemals zu vergessen.«

Vielleicht fand Darish, der ihr an jenem Tag sein Herz ausgeschüttet hatte, dass es nichts mehr zu besprechen gab, denn er verfiel, noch immer am Tresen lehnend, in Schweigen. Der tief in seinen Augen stehende Ausdruck, der die wahren Absichten seines Gegenübers zu ergründen schien, war verblasst. Allerdings wusste Winry nicht, ob das daran lag, dass er beschlossen hatte, sie wenigstens anzuhören, oder daran, dass er das Interesse bereits verloren hatte.

Ganz und gar aufrichtig fuhr sie fort: »In letzter Zeit sehe ich bei meinen Kunden viele lachende Gesichter. Das begründet sich darin, dass du mich auf meinen Fehler aufmerksam gemacht hast, denke ich ... Gerade deshalb würde ich mir gerne noch einmal dein Bein anschauen. Natürlich will ich dich zu nichts zwingen. Doch wenn du noch einmal darüber reden willst, komm bitte in unserem Laden vorbei. Diesmal werde ich dir wirklich vernünftig zuhören.«

Nachdem Winry genau darauf geachtet hatte, ihre ehrlichen Gefühle mit den richtigen Worten zum Ausdruck zu bringen, verbeugte sie sich noch einmal. Dann strich sie Lettie sanft über den Kopf, den diese schief gelegt hatte, und machte auf dem Absatz kehrt.

Die Schläge der von Mechanikern geschwungenen Hämmer und die Stimmen von Ladenangestellten, die um Kunden warben, umtosten das Mädchen, das geradeaus schritt, ohne sich umzudrehen. Hier gab es viele Mechaniker und sie selbst war nicht mehr als eine von ihnen. Während Winry sich wünschte, noch einmal unter ihnen ausgewählt zu werden, stieg sie den steilen Weg hinauf, der zu Milias Haus führte.

Sie glaubte nicht, dass Darish ihr nach dieser heutigen Begegnung verzeihen würde. Falls sie aber noch eine Chance bekommen würde, wollte sie sich anstrengen, sein Vertrauen zu gewinnen. Um nicht feststellen zu müssen, dass es nach wie vor vergebens war, und ihre Hoffnungen wieder enttäuscht zu sehen, fasste Winry erneut den Entschluss, über das Bisherige hinaus Zeit in ihre Arbeit zu investieren und sich zu bemühen, noch mehr für ihre Kunden zu tun.

Doch die Vorgehensweise, sich alles aufladen zu wollen, würde sich zweifelsohne ab einem gewissen Punkt negativ auswirken. Wäre Winry eine Erwachsene mit viel Erfahrung, wäre sie vielleicht in der Lage, eine vernünftige Balance zu finden. Aber mit ihren fünfzehn Jahren kannte sie keine andere Methode, als sich mit ganzer Kraft in ihre Vorhaben zu stürzen.

Winry merkte es zwar selbst nicht, doch so verbrannte sie sich die Finger.

Als die junge Mechanikerin mit Milias Dankesworten und Lächeln im Herzen um die Ecke der Straße bog, die zum Atelier führte, hörte sie ihren Namen rufen: »Winry!«

Sie blickte sich um und sah auf der gegenüberliegenden Straßenseite einen Mann um die sechzig stehen. »Herr Pollack!«

Pollack, dessen rechtes Auge eine Automail war, gehörte zu den Stammkunden des Ateliers Garfiel. Vor Kurzem waren Winry die Wartungsarbeiten an der Prothese anvertraut worden.

»Guten Tag!«

So wie immer, wenn sie Bekannten begegnete, nickte Winry dem Mann im Vorbeigehen leicht zu. Doch dieser hielt sie in einem leicht groben Ton auf: »Hey, Winry, hast du mir nicht was zu sagen?«

»Hm?«

Der normalerweise sanftmütige Pollack machte ein seltsam schroffes Gesicht. Winry dachte darüber nach, was diese Miene und die Worte, die er an sie gerichtet hatte, bedeuten konnten, doch nichts kam ihr auf Anhieb in den Sinn.

Da winkte der Mann sie gereizt zu sich. Das Mädchen kam wie geheißen auf die andere Straßenseite. Pollack stierte sie mit seinem Automail-Auge an.

»Was soll der Mist? Warst du nicht diejenige, die mir gesagt hat, ich solle heute um sechzehn Uhr in den Laden kommen?

»Oh nein ...!« Als Winry das hörte, fiel es ihr endlich ein. »T... Tut mir leid!«

Vor einigen Tagen hatte Pollack das Atelier kontaktiert, weil mit seinem Auge etwas nicht stimmte, und Winry hatte den Wartungsauftrag angenommen. Da sich der Mann, der einen Gemischtwarenhandel betrieb, nur selten von seinem Geschäft entfernen konnte, hatten sie im Voraus einen Termin für diesen Tag um sechzehn Uhr ausgemacht. Doch das hatte Winry überhaupt nicht mehr auf dem Schirm gehabt.

Hastig entschuldigte sie sich, aber Pollacks harter Gesichtsausdruck lockerte sich kaum.

»Obwohl ich zur verabredeten Zeit bei euch erschienen bin, wurde mir gesagt, dass du gerade erst weg wärst und nicht so schnell zurückkommen würdest. Das geht doch so nicht!«

Sie hatte nicht nur den Termin vergessen – auch ihr unmögliches Verhalten, sich erst daran zu erinnern, nachdem ihr Gegenüber sie darauf angesprochen hatte, stellte sie bloß.

Da verwunderte es niemanden weiter, dass Pollack angesichts solch einer Unhöflichkeit wütend war.

»Glücklicherweise hatte Garfiel gerade nicht so viel zu tun und hat sich mein Auge an deiner Stelle angeschaut!«

»Es tut mir so leid!« Winry blieb nichts anderes übrig, als sich aufrichtig entschuldigend zu verbeugen.

»Also wirklich ... Ich schätze deine Fähigkeiten hoch ein, also sieh zu, dass so was in Zukunft nicht wieder vorkommt!«

Pollack machte zwar ein säuerliches Gesicht, verzieh dem Mädchen, das weiterhin mit gesenktem Kopf dastand, aber schließlich, vielleicht weil er seine selbstkritische Haltung spürte.

»Ja, ich werde besser aufpassen!«

»Ich verlass mich drauf. Also dann!«

Gleich nachdem Pollacks Gestalt in der Menschenmenge verschwunden war, griff sich Winry mit beiden Armen an den Kopf. »Was machst du denn nur, Winry?! Du musst dich zusammenreißen!«

Sie schalt sich selbst und schlug sich den Kopf, als plötzlich ein seltsamer Ton wie von heftig aneinanderreibenden Metallteilen durch die ganze Umgebung hallte. *Skr, skr, skriiiiiiie!*

Bei diesem intensiven Laut, der klang, als hätte ein Blitz eingeschlagen, blieben die Passanten auf der Straße verdutzt stehen und auch die Leute, die in der Nähe arbeiteten, unterbrachen ihre Tätigkeiten und streckten die Köpfe heraus.

»Hm? Was war das für ein Geräusch?«

Winry, die sich mit beiden Händen blitzschnell die Ohren zugehalten hatte, scannte auf der Suche nach der Quelle des Lärms ebenfalls die Umgebung. Da sah sie, wie Leute, die am Atelier Garfiel vorbeigingen, in die Werkstatt lugten und fragten, ob alles in Ordnung sei.

»...?!« Das Mädchen löste die Hände von seinen Ohren und kehrte im Laufschritt zur Werkstatt zurück. »Garfiel!«

Als sie in den Laden stürzte, nahmen ihre Augen Garfiel und seine Kollegen Henrik und Weis wahr. Die drei standen um das neue Elektrowerkzeug herum, das sie erst vor wenigen Tagen gekauft hatten. Das seltsame Geräusch war zwar nicht mehr zu hören, doch ein angekokelter Geruch erfüllte die Werkstatt.

»Winry!« Garfiel, der vor dem Gerät stand, drehte sich um. Sein Gesicht trug einen derart ernsten Ausdruck, wie das Mädchen ihn noch nie zuvor an ihm gesehen hatte. »Du hast dieses Gerät gestern Abend doch ordentlich gewartet, oder?«

Mit seinem Ton schien er sich eher vergewissern als fragen zu wollen.

»Ja, wie immer ...«

Die Wartung und Pflege dieses praktischen, aber etwas delikaten Elektrowerkzeugs gehörte zu Winrys Aufgaben. Obwohl sie auch am vergangenen Abend von der Arbeit, die sie übernommen hatte, stark beansprucht gewesen war, hatte sie die Wartung wie üblich durchgeführt, und ihr fiel kein Grund ein, warum sie deswegen erneut befragt werden sollte. Doch Garfiels ungewöhnlich ernster Blick und die harten Gesichtsausdrücke, mit denen Henrik und Weis das Gerät betrachteten, erschütterten die junge Mechanikerin.

Garfiel fragte noch einmal: »Wirklich? Hast du im Wartungsprozess nicht vielleicht etwas vergessen?«

»Ähm ... Zuerst hab ich den Strom abgestellt, dann den Sockel und die Klingen abgenommen und die Späne von den beweglichen Teilen entfernt ...« Während Winry den Ablauf des Wartungsvorgangs und ihre eigenen Handlungen am vergangenen Abend gegenüberstellte, legte sie sich unbewusst eine Hand an die Brust, um ihr immer lauter klopfendes Herz zu beruhigen. »Ich habe mit dem Luftkompressor den Staub weggeblasen sowie den Sockel und die Schneideklingen abgewischt ...« An dieser Stelle unterbrach sie sich abrupt. Ihr Gesicht erblasste zusehends. »Ah ... die Zylinderreinigung ...!«

Man kratzte die Metallspäne heraus, die ins Innere gelangt waren, und ölte den Zylinder. Das war wichtig, damit die Klingen schnell und präzise bewegt werden konnten. Das Mädchen bemerkte, dass die Winry in ihrer Erinnerung diesen Punkt ausgelassen hatte.

Hastig steckte sie den Kopf zwischen Weis und Henrik, die um das Gerät herum standen, und sah, dass die eigentlich geraden, zum Abfeilen gedachten Klingen stark verbogen waren und auf dem Boden Teile verstreut lagen. Bei diesem Anblick konnte sie keinen klaren Gedanken mehr fassen.

»Wie ich's mir dachte.«

Garfiels Mund entwich ein tiefer Seufzer. Als er gesehen hatte, wie Winry die Farbe aus dem Gesicht gewichen war, und sie auch keinen Ton mehr herausbrachte, überzeugte ihn das anscheinend, dass bei der Wartung ein Fehler passiert sein musste.

»...«

Mit zitternden Lippen dachte Winry daran zurück, wie es ihr am Vorabend ergangen war. Bei der Pflege des Geräts waren ihre Gedanken um Milias Bein, die Fortschritte bei den ganzen Konstruktionszeichnungen sowie Darish gekreist und sie hatte dabei gleichzeitig mit der Müdigkeit gekämpft, die sie zu übermannen drohte.

Wegen der Erschöpfung und des Schlafmangels über mehrere Tage hinweg hatte ihre Konzentrationsfähigkeit drastisch abgenommen. Außerdem hatte sie auch keine Zeit mehr gehabt, gerade ihren Zustand objektiv zu betrachten. Man konnte sagen, dass Winry jetzt geradezu zwangsläufig Fehler machen musste, wie zum Beispiel, den Termin mit Pollack zu vergessen.

»Das Ding ist hinüber ...« Weis hatte die Abdeckung des Stützteils geöffnet, sein Gesicht dem Spalt genähert und den Innenbereich überprüft. Resigniert legte er das Werkzeug, das er in der Hand gehalten hatte, auf dem Boden ab. »Am Zylinder sind Risse zu sehen. So wird er wohl keine präzisen Bewegungen mehr ausführen können.«

»Offenbar sind einige der Kleinteile hier und dort gesprungen.« Auch Henrik, der einen Schraubenzieher in den verbogenen Sockelteil gesteckt hatte und kaputte Einzelteile entfernte, ließ sich auf einen Stuhl in der Nähe fallen. »Wenn wir nicht erst die beschädigten Komponenten austauschen, brauchen wir gar nicht erst zu versuchen, das Gerät anzuschalten.«

Resigniert drehte Henrik seine Handflächen nach oben. Neben ihm lagen eine Konstruktionszeichnung und eine Automail, die Winry nicht kannte, sowie eine noch nicht verarbeitete Metallplatte.

»Was ist das ...?«, fragte das Mädchen mit starrem Gesicht.

Henrik zuckte die Schultern.

»Die müssen wir bis morgen früh fertigstellen. Die Metallplatte da gehört Weis. Da wir ohne das Elektrowerkzeug keine Chance hätten, rechtzeitig fertig zu werden, sind wir beide hergekommen, um das Gerät zu benutzen, aber ...«

Henrik streckte die Hand nach der auf dem Boden liegenden Automail aus und hob sie hoch. Ihre äußere Abdeckung war zerknautscht, als ob jemand mit großer Kraft draufgedrückt hätte. Vor Winrys Augen fiel eines der Teile heraus und mit einem trockenen Ton zu Boden.

»Als wir das Gerät eingeschaltet haben, geriet es sofort außer Kontrolle und hat aus der Automail das gemacht. Aber wir hatten Glück, dass nur die Außenverkleidung zerstört wurde.«

Das heftige Geräusch vorhin war entstanden, als das kaputte Elektrowerkzeug die Automail zerquetscht hatte.

Die Außenabdeckung allein hätten sie wohl schnurstracks austauschen können, aber jetzt, da das Gerät nicht mehr zu gebrauchen war, konnten sie die Automail nicht mehr fertigstellen. Bei der Verarbeitung von Weis' Metallplatte würden sie bestimmt ebenfalls keinen einzigen Schritt mit der Arbeit vorankommen können.

Als Winry begriff, dass sie dieses neuartige Gerät, für dessen Kauf sie alle das Geld zusammengelegt hatten, zerstört hatte, begannen ihre Knie zu zittern.

»Es tut mir leid ...! Es tut mir wirklich leid!« Sie konnte nicht anders, als sich entschuldigend zu verbeugen, obwohl der Vorfall nichts war, was sich mit einer Bitte um Vergebung aus der Welt schaffen ließ. »Ich mach mich sofort auf die Suche nach Teilen!«

Wenn sie das austauschten, was beschädigt war, konnten sie das Gerät vielleicht reparieren. Nachdem Winry die auf dem Boden verstreut liegenden kaputten Teile mit beiden Händen zusammengeschoben und aufgesammelt hatte, notierte sie sich die Modellnummern der verbogenen Klingen und des Zylinders auf einem Zettel, der auf dem Arbeitstisch lag.

Doch als die junge Mechanikerin aus der Werkstatt stürmen wollte, hielt Garfiel sie auf.

»Eine so große Zahl an Teilen werden wir im Leben nicht zusammenbekommen! Außerdem werden die Läden schon gleich einer nach dem anderen zumachen.«

»Aber ...!«

Winry, die sich schon halb zur Straße gedreht hatte, machte ein bekümmertes Gesicht. Sie sah Weis auf ruhige Weise den Kopf schütteln.

»Bei diesem Hersteller haben die Zylinder eine besondere Form. Da sie nicht durch die anderer Hersteller ersetzt werden können, gibt es nicht so viele im Umlauf ... Was soll's, so was passiert.« Mit dem Handtuch, das um seinen Hals hing, wischte sich Weis das Öl von den Händen und nahm die Metallplatte unter den Arm. »Ich gehe mal in meinen Laden zurück und probiere aus, ob ich das Ding hier nicht doch mit einem anderen Werkzeug verarbeitet kriege.«

»Auch ich muss fürs Erste wenigstens die Außenabdeckung wieder so hinbiegen, wie sie war.« Henrik wickelte die kaputte

Automail in ein Tuch. Doch die beiden, die als Mechaniker viel Erfahrung gesammelt hatten, waren hergekommen, weil sie ihre Arbeit ohne das neue Gerät nicht fertigstellen konnten. Das hieß, dass es dafür keine anderen Methoden gab.

Durch Winrys Fehler würden die zwei möglicherweise das Vertrauen ihrer Kunden verlieren. Das Mädchen wusste nur allzu gut, wie wichtig in Rush Valley, wo ein heftiger Konkurrenzkampf tobte, ein einziger Kunde sein konnte.

Auch von Garfiel, der ihre Fähigkeiten hoch eingeschätzt und sie um die Pflege der neuen Maschine gebeten hatte, würden seine Kollegen, mit denen zusammen er die Investition getätigt hatte, jetzt bestimmt denken, dass er kein gutes Auge hatte. Er hatte das Mädchen als Schülerin angenommen und ihm vertraut, doch sie hatte dieses Vertrauen enttäuscht und ein Fiasko verursacht. Sie musste einfach etwas tun.

»Wenn ich die Geschäfte in der Stadt abklappere, bekomm ich die Teile vielleicht zusammen! Lass sie mich bitte suchen gehen!«, rief Winry und lief nach draußen vor die Werkstatt.

Am Abend war Rush Valley voll mit Einheimischen und Gästen, die auf dem Heimweg von der Arbeit beziehungsweise vom Einkaufen waren. Winry schlängelte sich im Laufen zwischen den Leuten hindurch und stürzte zuallererst in den Laden des Großhändlers, mit dem sie gute Geschäftsbeziehungen pflegten.

»Herr Mandel!«

»Oho, Winry, bist du's? Ist was passiert?« Mandel, der Ladenbesitzer, sah fragend zu dem Mädchen herunter, das wild die Tür aufgerissen hatte und atemlos zur Theke gestürmt war. »Braucht ihr dringend irgendwelche meiner Waren?«

Winry nickte und versuchte, wieder ruhig zu atmen. Dann holte sie die Teile und den Notizzettel aus ihrer Tasche heraus.

»Oha, die sind aber ordentlich zerquetscht worden!«

Von den Teilen, die das Mädchen auf die Theke gelegt hatte, nahm Mandel eine der zerdrückten Schrauben in die Hand und blickte sie unverwandt an.

»Wir brauchen einen Ersatz für die Teile hier! Klingen zum Abfeilen, Schrauben Nummer C1 und dann noch Federringe Nummer 77 und Fundamentbolzen A8 ...«

Winry wiederholte mündlich die Namen und Nummern der Teile, die sie mitgebracht hatte, um sie nicht durcheinanderzubringen, und erstellte an Ort und Stelle eine Liste davon.

Normalerweise hätte die junge Mechanikerin noch einen Plausch mit ihrem Bekannten Mandel gehalten. Doch jetzt, da ihr die Tatsache, dass sie das Gerät zerstört hatte, schwer auf dem Herzen lag, konnte sie nichts weiter tun, als den Stift über das Papier zu bewegen und zu beten, dass sie die Teile zusammenbekam.

Vielleicht hatte Mandel aus der Haltung des Mädchens, das schweigend mit dem Stift hantierte, seine verzweifelte Lage herausgelesen, denn als sie ihm die Liste in die Hand drückte, verlor auch er kein unnötiges Wort und ging nach hinten in den Laden, wo sich das Lager befand.

»Mal seh'n, das sind insgesamt zehn, zwanzig ... achtundzwanzig Stück. Die Schrauben müsste ich alle dahaben ...«

Als sie den Mann, der vor den Regalen mit dem Rücken zu ihr auf- und abging, mit den Augen folgte, ballte Winry ihre Hände auf dem Tresen zu Fäusten und übte sich still in Geduld.

»Yo, danke für's Warten!« Was Mandel kurze Zeit später auf dem Tresen aufreihte, machte etwa sechzig Prozent der Teile aus, um die das Mädchen gebeten hatte. »Tut mir leid! Im Moment hab ich nicht mehr da. Wenn's für dich in Ordnung ist, kann ich den Rest morgen besorgen, aber wenn du die Teile dringend brauchst, solltest du besser noch zu 'nem anderen Laden gehen, denke ich ... Aber ob wir das hier überhaupt in der Stadt haben, weiß ich auch nicht.«

Mit der Fingerspitze tippte Mandel auf einen der aufgelisteten Punkte. Es war der besagte besondere Zylinder. »Da nur mein Laden mit diesem Hersteller Geschäfte macht, wird dir nichts anderes übrig bleiben, als die Trödelläden abzuklappern, wenn du das Ding heute noch brauchst.«

»Ich verstehe. Dann möchte ich gern die Teile hier bezahlen.«

»Nanu ...? Ist doch nicht nötig. Ich setze sie später auf die Rechnung.«

Mandel sah, dass Winry Geld aus ihrer eigenen Börse nehmen wollte, und machte ein überraschtes Gesicht. Eigentlich wurde es immer so gehandhabt, dass die Kosten der Teile am Monatsende zusammengerechnet und dann vom Atelier Garfiel bezahlt wurden.

»Nein, lass mich heute hier bezahlen.«

»Wenn du willst ...«

Trotz seines Misstrauens nannte Mandel den Gesamtbetrag für den heutigen Einkauf. Winry bezahlte und nahm die Quittung in Empfang. Dann bedankte sie sich und ging im Nu nach draußen.

Aschfarbene Wolken hatten begonnen, sich über den Himmel auszubreiten, der bis vorhin noch fast ganz unbedeckt gewesen war, doch das Mädchen hatte keine Zeit, sich Gedanken über das Wetter zu machen.

»Noch zwölf Stück ...!«

Mit dem eingeschlagenen Paket unterm Arm klopfte Winry an die Tür eines anderen Großhändlers für Einzelteile. Als sie wenige Minuten später wieder herauskam, betrat sie den Trödelladen schräg gegenüber. Das wiederholte sie mehrmals. Während sie die Geschäfte im Umkreis ablief, bekam sie allmählich die Teile zusammen.

»Noch drei!«

Winry war aus einem Laden getreten, der vom Atelier Garfiel ziemlich weit entfernt lag, und rannte los, um die wenigen noch verbliebenen Teile zu besorgen. Zum Ausruhen blieb ihr keine Zeit. Schweiß rann ihr über die Stirn bis über die Wangen und der daran haftende Staub machte sie schmutzig.

Bald hallte die Glocke der Uhr siebenmal durch die dämmrige Stadt.

Zusammen mit ihrem Läuten flackerten hier und dort die Neonschilder auf. Die Läden entlang der Hauptstraße würden noch etwa eine Stunde aufbleiben, doch andere Geschäfte schlossen um diese Zeit so langsam.

Hastig betrat Winry den nächstgelegenen Trödelladen. In dessen engem Inneren reihten sich Regale aneinander und stapelten sich dicht an dicht kaputte Automails, hinten lagerte staubiges Werkzeug und sogar Teile irgendeiner Maschine.

Vorsichtig lief das Mädchen die Regale ab, die aussahen, als würden sie jeden Moment einstürzen. Die junge Mechanikerin zog wiederholt einige der aufeinandergestapelten Eisenteile heraus, um sie dann an ihren ursprünglichen Ort zu schieben und anschließend ein anderes Teil in die Hand zu nehmen.

»Das ist es nicht, das auch nicht ... Das ist beschädigt ...«

Selbst die kaputten Sachen waren legitime Handelsware. Um sie nicht schmutzig zu machen, wischte sich das Mädchen seine mit Öl und Eisenspänen verschmierten Hände gründlich an einem Handtuch ab, das es dabeihatte, doch sie wurden sogleich wieder pechschwarz.

Bei den verbliebenen Teilen handelte es sich um den Zylinder, von dem es schon geheißen hatte, sie würde ihn wohl nicht finden können, und zwei Federn, die im Antriebsteil eingesetzt wurden. Diese drei Teile waren die einzigen, die sich nicht durch Produkte anderer Hersteller ersetzen ließen. Als Winry die Regale fertig durchgesehen hatte, steckte sie ihre Hände in eine Kiste, die in der Ecke stand.

»Ah, hab was!«

Während sie sich den von der Stirn tropfenden Schweiß mit einem Arm abwischte, wühlte sie mit dem anderen in der Kiste und fand im Inneren eines ihr unbekannten Geräts genau die zwei gesuchten Federn. Sie waren zwar ein wenig verbogen und rostig, ließen sich aber noch gut verwenden, wenn sie sie nur aufpolierte.

Blieb nur noch der Zylinder. Dafür betend, dass sie ihn finden möge, öffnete Winry mit dem Schraubenzieher Überreste von vermutlich Automails und Haufen aus Metall, die nach Teilen großer Werkzeuge aussahen, und warf einen Blick hinein. Doch es blieb beim gleichen Ergebnis, denn das Gesuchte fand sie nicht.

Als das Mädchen das letzte Teil in den Behälter mit den Metallresten gelegt, für die Federn bezahlt und den Laden verlassen hatte, regnete es unversehens aus einem inzwischen dunklen Himmel.

Winry verstaute die Federn, die sie unverpackt bekommen hatte, in ihrer größten Tüte und räumte auch die anderen Tüten mit hinein. Danach entledigte sie sich der oberen Hälfte ihres Overalls, zog den Saum des Shirts, das sie darunter trug, aus dem Hosenteil heraus und wickelte die Tüte damit ein.

»So werden sie hoffentlich nicht nass!«

Sie hielt die Teile am Bauch fest, die sie gesammelt hatte, und machte sich im Laufschritt sofort auf den Weg zu einem anderen Laden. Winry hatte keine Zeit herumzustehen. Je später sie ins Atelier zurückkam, umso weniger Arbeitszeit würde Weis und Henrik bleiben, sogar wenn sie es schafften, das Gerät zu reparieren. Aus Leibeskräften bewegte sie ihre Beine, die ihr vor Erschöpfung kaum noch gehorchten, und klapperte ein Geschäft nach dem anderen ab.

Bald war selbst das Handtuch rabenschwarz, an dem Winry ihre verdreckten Hände immer wieder abwischte, sodass sie, bevor sie einen Laden betrat, den Schmutz von ihren Händen an ihrer Kleidung abreiben musste.

Das Mädchen merkte plötzlich, dass nahezu alle Geschäfte bereits geschlossen hatten und nur der Laden, in dem sie gerade erst ihre Suche nach dem letzten Teil beendet hatte, sowie einige Tafeln und Schaufenster in der Straße noch hell erleuchtet waren.

Den Zylinder hatte sie nicht finden können.

»Was mach ich nur ...«, flüsterte Winry. Hinter ihrem Rücken erlosch nun auch das Licht des Ladens, den sie eben verlassen hatte. Auf der Stelle vor ihren Füßen breitete sich Dunkelheit aus. »...«

Als sie unter dem Dach hervortrat, hämmerte der heftiger gewordene Regen auf ihren Körper ein. Obwohl sie auf der menschenleeren Straße loslief, hatte sie kein Ziel. Der Regen strömte immer stärker und durchnässte sowohl ihre Kleidung als auch ihre Haare. Nur das laute Prasseln umtoste ihren Körper ähnlich wie das geschäftige Treiben zur Mittagszeit.

Während das Mädchen die dunkle Straße entlanglief und Wasser von seinem Kinn heruntertropfte, hörte es aus der Ferne die Glocke. Dieses Läuten, das vielleicht wegen des Regens leiser klang als sonst, ertönte neunmal und erstarb dann.

Winry blieb vor einem Schaufenster stehen.

Wie als Kontrast zu ihrem Gefühl tiefer Niedergeschlagenheit war es schon fast blendend hell erleuchtet. Darin waren seltene Automails und Accessoires aus Edelmetallen ausgestellt, die irgendein Atelier herausgebracht hatte.

Vielleicht hatte Winry durch das Betrachten des hellen Lichts ihre traurige Stimmung wenigstens etwas heben wollen. Sie hatte in unzählige Schaufenster geblickt und war irgendwie immer weitergelaufen.

Das wievielte es wohl war? Das Mädchen betrachtete die ausgestellten Waren, doch als es gerade schon wieder loslaufen wollte, blieb es wie angewurzelt stehen.

»Dieser Hersteller!« Winry drückte beide Hände gegen das Glas.

Dort thronten zahlreiche aufpolierte Werkzeuge und Metallteile. Was ihren Blick auf sich zog, war ein unförmiger Metallhaufen, der so aussah, als hätte man einer großen Maschine nur ein Teil entnommen. In seinem Inneren, das durch einen Spalt zwischen Zahnrädern und Stützteilen zu sehen war, steckte ein Zylinder und in dessen Ecke war genau das Siegel des Herstellers eingeprägt, nach dem sie gesucht hatte.

Die junge Mechanikerin unterdrückte ihren Gefühlssturm und las die Tafel mit der Produktvorstellung an der Seite: »›Teil, das in einem Gerät eines Traditionsherstellers verbaut war. Durch den Einsatz ausschließlich qualitativ hochwertiger Metalle rühmt es sich einer hervorragenden Langlebigkeit. Neu verarbeitet kann es auch für den Bau von Automails eingesetzt werden …‹ Das ist es!«

Winry drückte ihr Gesicht gegen das Glas und überprüfte das ausgestellte Teil. Es sah zwar schon so aus, als wäre es für andere Typen von Geräten verwendet worden als das Elektrowerkzeug in Garfiels Laden, jedoch handelte es sich bei dem Zylinder zweifelsohne um den besonderen, den dieser Hersteller entwickelt hatte.

»Was für ein Glück!« Damit konnten sie das Gerät reparieren. Aber Winrys Erleichterung hielt nur einen Augenblick. »Das kann ja wohl nicht sein …?!«

Als sie das Preisschild an der ausgestellten Ware sah, gefror ihr Gesicht. Der Preis war unverschämt hoch. Selbst wenn man mit einbezog, dass es sich um qualitativ hochwertiges Metall handelte, der Zustand gut war und das Produkt von einem Traditionshersteller stammte, war es viel zu teuer.

Winry ließ ihren Blick auch über die Preisschilder der anderen Waren im Schaufenster schweifen. Der Preis jeder einzelnen von ihnen lag weit über dem üblichen Marktpreis.

»Das ist ...« Das Mädchen sah zum Ladenschild hoch ... Regentropfen trafen sein Gesicht und zerplatzten in alle Richtungen.

Bei diesem mit ›Trödelladen‹ überschriebenen Geschäft konnte es sich um eines der profitgierigen Unternehmen handeln, von denen Garfiel, Henrik und Weis gesprochen hatten und die in Rush Valley in letzter Zeit aus dem Boden schossen. Läden, die den Leuten ihre Waren für teures Geld andrehten, sich nicht ordentlich um die Wartung kümmerten und allein das Ziel verfolgten, Profit zu machen.

Im Regen stehend drückte das Mädchen seine Hand von oben auf die Tasche, in der sich seine Geldbörse befand. Um die Ersatzteile zu erwerben, hatte sie allein an diesem Tag ziemlich viel Geld ausgegeben. Doch für den Notfall hatte sie hinten in ihr Portemonnaie einen großen Geldschein gelegt – gerade noch genug, um jetzt diese Ware zu kaufen.

Winry sah noch einmal zu dem Ladenschild hoch, blickte dann zu dem Zylinder im Schaufenster und ließ die Augen nun zu ihren Füßen gleiten. Ihre durchnässten Schuhe waren matsch- und ölverschmiert.

Ein skrupelloses Unternehmen hatte Darish in die missliche Lage gebracht, sich mit Schmerzen im Bein quälen zu müssen, und Winry war empört gewesen, davon zu hören. Doch jetzt brauchte sie unbedingt selbst etwas von den Verkaufswaren eines solchen Händlers. Für eine Mechanikerin war dies beschämend und furchtbar traurig.

Der nasse Pony klebte dem Mädchen, das mit gesenktem Kopf dastand, an der Stirn und ließ ihm den herabfallenden Regen ins Gesicht laufen. Nachdem Winry den Tropfen, die von ihrer Nasenspitze herunterfielen, mit ihrem Blick gefolgt war, schloss sie ein einziges Mal fest die Augen.

Als sie sie erneut aufmachte, streckte sie ihre eiskalte Hand aus und drückte langsam die Ladentür auf.

Es war schon nach zehn Uhr abends, als Winry ins Atelier Garfiel zurückkehrte.

Obwohl es regnete, waren die Rolltore der Werkstatt zu etwa einem Viertel geöffnet und das Licht von Lampen fiel auf die Straße. Wie es aussah, hatte Garfiel sie für Winry, die im Dunkeln zurücklaufen würde, offen gelassen.

»Bin wieder da …« Das Mädchen zog seinen Kopf ein, schlüpfte unter dem Rolltor hindurch und betrat das Innere der Werkstatt.

Drinnen versuchte Henrik verzweifelt, das kaputte Elektrowerkzeug zu reparieren. Obwohl er einmal zu seinem eigenen Laden zurückgegangen war, um es mit den Geräten dort irgendwie zu versuchen, schien es ihm ohne dieses neuartige Werkzeug wohl nicht möglich zu sein. Mit einem Schraubenschlüssel in der Hand versuchte sich auch Garfiel an der Reparatur, indem er beschädigte Teile entfernte und andere einsetzte.

Wie von Winrys Stimme aufgeschreckt hoben die beiden die Köpfe.

»Winry!«

»Winry, Liebes, es ist doch schon so spät!«

Sie hatten sich bestimmt Sorgen gemacht. Winry streckte Garfiel und Henrik, die ihre Arbeit unterbrachen und zu ihr gelaufen kamen, schweigend die Tüte entgegen, in der sich die Ersatzteile befanden.

»Das ... sind doch Teile für das Gerät, oder? Hast du etwa alle gefunden?« Henrik, der die Tüte angenommen hatte, machte große Augen, holte die Komponenten heraus und reihte eine nach der anderen auf dem Arbeitstisch auf. »Oha! Der Zylinder!«, rief er erstaunt, als zuletzt der sorgfältig eingepackte Zylinder auftauchte.

»Kriegen wir die Reparatur damit hin?«, fragte Winry ängstlich, die mit gefalteten Händen mit angesehen hatte, wie der Mann alle Teile herausholte.

»Aber natürlich, das rettet uns!« Henrik, der sich überzeugt hatte, dass sie die Arbeit zu einem sicheren Abschluss bringen konnten, lächelte breit, von Herzen glücklich.

»Ich hole Weis! Wenn alle bei der Reparatur mit anpacken, sind wir in zwei Stunden fertig. Und wenn wir uns danach mit den Bestellungen beschäftigen, schaffen wir es locker bis zum Morgen! Winry, hab tausend Dank!«

Obwohl Henrik sich bei ihr bedankte, konnte das Mädchen nicht anders, als in tiefem Bewusstsein seiner Schuld zu Boden zu schauen. Sie konnte die Teile noch so sehr beschafft haben – daran, dass sie das Gerät kaputt gemacht hatte, änderte das nichts.

Nachdem Henrik mit einem Schirm in der Hand den Laden verlassen hatte, versank die Werkstatt, in der Winry und Garfiel allein zurückgeblieben waren, augenblicklich in Stille. Nur das Hämmern des Regens auf dem Dach war zu hören.

»Komm her! Also wirklich, du bist ja klatschnass!« Garfiel winkte Winry, die mit trauriger Miene vor dem Rolltor stand, zu sich herüber. »Wenn du dich nicht gründlich abtrocknest, holst du dir noch eine Erkältung!«

Das Mädchen bekam ein sauberes Handtuch, das sich in der Nähe befand, auf den Kopf gelegt, löste das Gummi, das seine Haare zusammengehalten hatte, und trocknete sich wie geheißen den Kopf ab. Garfiel beobachtete sie dabei mit verschränkten Armen, sagte kurze Zeit später aber leise zu ihr: »Was diesen Zylinder angeht ...«

Winry zuckte vor Schreck zusammen.

»Wie gut, dass du ihn gefunden hast, das hilft uns wirklich weiter! Das meine ich zwar schon, aber mich interessiert vielmehr, wo du ihn eigentlich gekauft hast?«

Seine fragende Stimme war hart und ließ ein winziges bisschen Wut erkennen. Winry fasste das Handtuch, das über ihrem Kopf hing, an beiden Enden und sah zu Boden.

Wie um sie zu einer Antwort zu drängen, hielt Garfiel die Arme verschränkt und klopfte mit den Fingerspitzen darauf. Doch das

Mädchen konnte nicht einfach zugeben, dass es den Zylinder in einem der Läden gekauft hatte, die alle verabscheuten.

»Ich habe dir ja schon mal gesagt, dass du dich fragwürdigen Geschäften nicht nähern sollst, richtig?« Er hatte ihr Schweigen wohl korrekt interpretiert. Garfiel hob betont die Schultern, ließ sie wieder sinken und seufzte. Dann blickte er zu Winry hinunter. »Es ist schon gefährlich, überhaupt was mit denen zu tun zu haben, und wenn du solch ein Geschäft nutzt, dann erkennst du seine Existenz an und profitierst davon ... Das verstehst du doch, oder?«

Die Vorgehensweise solcher skrupellosen Geschäftemacher war in letzter Zeit spürbar rücksichtsloser geworden. Mit strenger Stimme ermahnte Garfiel seine Schülerin scharf.

»Es tut mir sehr leid ...«, entschuldigte sich Winry leise, die noch immer das Handtuch festhielt.

Garfiels Gesichtszüge wurden weicher und er legte dem Mädchen sanft die Hand auf die Schulter, ohne das Thema weiterzuverfolgen.

»So, wenn du heiß geduscht und zu Abend gegessen hast, geh für heute ins Bett!« Der Mann zeigte sein übliches Lächeln und öffnete die Tür, die nach hinten führte.

»Mh? Lass mich bitte auch bei der Reparatur des Geräts mithelfen!«

Winry, deren Schulter freundlich gedrückt worden war, geriet in Aufregung, doch Garfiel hieß sie genau so einfach aus der Werkstatt ins kleine Zimmer gehen.

»Alles andere kriegen wir irgendwie hin. Du hast die Teile mitgebracht und damit deinen Soll erfüllt!«

»Aber ...!«

Winry sah Garfiel flehend an, doch der Mann gab nicht nach und nickte nicht wie sonst. »Nun hör endlich mal auf das, was man dir sagt!« Wie um sie anzutreiben, schob Garfiel Winry am Rücken weiter, sodass sie die Treppe ein paar Stufen hochging. »Dann war heute noch jemand da, der auf dich gewartet hat«, fuhr er zögernd fort. Sein Gesicht hatte sich getrübt und er blickte von unten zu dem Mädchen hoch.

»Herr Pollack ...?«

Winry hatte sich schon gedacht, dass Garfiel wohl Pollack meinte. Sie hatte ihn bei seinem Termin versetzt und dadurch seine Gefühle verletzt. Eigentlich hätte sie sich nach ihrer Rückkehr von Milia sofort bei Garfiel entschuldigen sollen, doch da sie herumgerannt war, um die Teile zusammenzubekommen, hatte sie noch gar nicht richtig mit ihm darüber reden können.

»Es tut mir leid. Ich habe den Termin mit Herrn Pollack vergessen und dir dadurch Unannehmlichkeiten bereitet ...«, entschuldigte sich das Mädchen. Bei wie vielen Leuten hatte es sich am heutigen Tag schon entschuldigt? Sie fühlte sich elend und konnte es kaum ertragen.

Doch Garfiel schüttelte den Kopf. »Denk nicht mehr an die Sache mit Pollack. Ihn meine ich auch nicht ... Es war Darish.«

»Was ...?« Winry erstarrte, als sie unerwartet diesen Namen hörte.

»Gegen Abend ist er in den Laden gekommen und meinte, dass es etwas gebe, was er direkt mit dir besprechen wolle. Und dann hat er bis etwa kurz vor neun in der Werkstatt gewartet.«

»Darish ist …« Winry merkte, dass ihre Stimme bei der traurigen Vorahnung zitterte.

»Und dann … Als er nach Hause ging, sagte er, ich solle dir ausrichten, dass du ihn nicht mehr zu betreuen brauchst. Er würde sich nach einem anderen Laden umsehen.«

Garfiels Worte gaben der körperlich und seelisch vollkommen erschöpften Winry den letzten Rest.

»Pack dich warm ein und schlaf heute Nacht gut. Okay?«, sagte der Mann, um das Mädchen aufzumuntern, das mitten auf der Treppe reglos verharrt war. Dann kehrte er in die Werkstatt zurück.

Winry, die allein zurückgelassen worden war, blieb noch eine Weile gedankenverloren an Ort und Stelle stehen. Erst nach einigen Minuten setzte sie endlich ihre Beine in Bewegung und stieg die Treppe hinauf.

Als sie zurück in ihrem Zimmer war, standen ihr Schreibtisch und der Boden unter Wasser, weil durch das Fenster, das sie offen gelassen hatte, Regen hereingeblasen worden war.

Unsicher schwankend ging die junge Mechanikerin zu ihrem Schreibtisch hinüber und legte ihre Hände auf die durchnässten Konstruktionszeichnungen. Die eine für Edward, an der sie schon sehr lange nicht mehr weitergezeichnet hatte, weil sie in letzter Zeit so beschäftigt gewesen war, die andere für Darish, die sie mehrmals überarbeitet hatte.

»Ich …« *Was mach ich nur für Sachen?*, wollte sie sich fragen. *Bin ich total bescheuert?*, wollte sie sich vorwerfen.

Die Worte, die Winry dann noch flüsterte, verstand sie selbst nicht mehr. Sie packte die Zeichnungen, deren Tinte verlaufen war.

Nur das heftige Prasseln des Regens ergriff wie verrückt ihre Ohren und ließ sie nicht mehr los.

Kapitel 5

Hör auf dein Herz

Der Morgen war furchtbar.

Winry erwachte mit einem Gefühl, als ob ihre Schwermut sich zusammengeballt hätte und in ihrem Körper feststeckte. Sie holte tief Luft und stieß sie langsam wieder aus. Oder vielleicht hatten sich im Gegenteil ihr Körper und ihr Herz vollkommen geleert und nur dieses Gefühl von Nichtigkeit beherrschte ihren Körper.

Als sie ins Bett gestiegen war, hatte Winry gedacht, dass sie auf keinen Fall schlafen könne, doch vielleicht weil sie körperlich und geistig völlig erschöpft war, hatte sie sofort ein tiefer Schlaf übermannt. Diesem war es zu verdanken, dass sie keinerlei Anzeichen für eine Erkältung sah, obwohl sie derart vom Regen durchnässt worden war. Doch ihre Arme und Beine fühlten sich seltsam bleiern an und es fiel dem Mädchen schwer, sich aufzurichten.

Nichtsdestotrotz schaffte sie es mit Müh und Not aufzustehen und nachdem sie sich das Gesicht gewaschen und umgezogen hatte, stieg sie die Treppe hinunter und öffnete wie immer das Rolltor zur Werkstatt.

Draußen breitete sich ein prächtiger blauer Himmel aus, als ob der Sturzbachregen vergangene Nacht nur ein Traum gewesen war. Der nach dem Regen angenehm frische Wind streichelte Winrys Wangen. Die Pfützen, die sich hier und da gebildet hatten, warfen glitzernd das Sonnenlicht zurück.

Als sie sich wieder zum Atelier wandte, stand da das Elektrowerkzeug, das komplett repariert worden war und aussah wie vorher. Doch selbst bei diesem Anblick kam in ihrem Herzen keine Freude auf.

Während sie sich irgendwo tief in ihrem Inneren sehr wohl darüber wunderte, dass sie wie gelähmt war, begann Winry schweigend mit den Vorbereitungen für die Öffnung des Ladens.

»Guten Morgen, Winry!«

Das Mädchen war gerade dabei, die Arbeitstische mit einem kräftig ausgewrungenen Lappen abzuwischen, als Garfiel in der Werkstatt auftauchte, etwas früher als sonst.

»Guten Morgen!« Mit einem Herzen, das sich wie ein Stein in ihrer Brust anfühlte, hielt Winry ihre Hände still.

»Du scheinst gut geschlafen zu haben! Die Ringe unter deinen Augen sind weg …! Aber du machst ja ein schreckliches Gesicht!« Garfiel hatte Winrys vollkommen antriebslose Stimme gehört und ihren ebensolchen Gesichtsausdruck gesehen, woraufhin er ihren Lappen in die Hand nahm. »Okay, das reicht mit den Vorbereitungen. Du brauchst heute nicht ins Atelier zu kommen.«

»Was …?«

Winrys Körper versteifte sich, denn bei Garfiels Aussage fragte sie sich sofort, ob sie diesen Arbeitsplatz nicht mehr betreten durfte, weil sie als Mechanikerin nichts taugte. Wenn sie an gestern dachte, wäre das zwar nicht weiter verwunderlich, doch ihr war, als hätte man ihr ihre Unfähigkeit vorgehalten, und sie senkte automatisch den Blick. Da wurde ihr ein Bündel mit einem ausgesprochen niedlichen Blumenmuster und eine Trinkflasche vor die Augen gehalten.

Verwundert hob sie das Gesicht und sah, dass Garfiel sie anlächelte.

»Hier sind eine Lunchbox und Wasser. Deine heutige Arbeit besteht darin, einen Botengang zu Dominic zu machen. Wir haben vereinbart, dass er uns was von dem Stahl abgibt, der aus dem Eisenerz gefertigt wurde, den man nur bei ihm in der Ecke bekommt, also hol ihn bitte ab!« Anscheinend war Garfiel deshalb früh aufgestanden und hatte ihr dafür eine Lunchbox vorbereitet. »Hey, wenn du nicht bald losgehst, wird es schon dunkel sein, wenn du zurückkommst!«

»Okay ...« Freundlich dazu gedrängt, nahm Winry die Box und die Trinkflasche mit beiden Händen entgegen.

Gerade nach dem gestrigen Tag wollte sie heute zwar schon arbeiten, um Versäumtes aufzuholen, aber sie hatte auch große Angst, wieder einen Fehler zu machen. Der an Lebenserfahrung reichere Garfiel hatte wohl verstanden, was nach alledem in Winrys Herzen vorging, und wollte sie nach draußen schicken, um sie auf andere Gedanken zu bringen.

Winry beschloss, sich auf diese freundliche Rücksichtnahme einzulassen. Nachdem sie ein kleines Frühstück zu sich genommen hatte, zog sie leichtere Kleidung an – einen schwarzen Minirock zu einem weißen Spaghettiträgertop – und brach auf.

Auf dem Weg durch die morgendliche Stadt, die sie durchqueren musste, um auf den Bergweg zu gelangen, der zu Dominics Haus führte, passierte Winry eine Straße, an der sich Hotels entlangreihten. Vor dem Hotel, in dem Darish und seine Familie wohnten, blickte das Mädchen zu den Fensterreihen hoch.

Hatte der Junge ihr letzten Endes den anfangs unsensiblen Umgang mit ihm nicht verzeihen können? Oder war er verärgert, dass Winry nicht aufgetaucht war, obwohl er mitten im Regen in den Laden gekommen war und lange Zeit auf sie gewartet hatte?

Wie auch immer die Antwort lautete – in ihrem jetzigen Zustand hatte die junge Mechanikerin nicht die Energie nachzuprüfen, warum Darish sie von ihrer Zuständigkeit entbunden hatte.

Das Mädchen löste seinen Blick von den Fenstern und entfernte sich mit tieftrauriger Miene unauffällig von dem Hotel.

Während Winry den fortwährend steil ansteigenden Hang erklomm, veränderte sich allmählich die mit Felsen durchsetzte Landschaft in ihrem Blickfeld. Der Himmel, zu dem sie die ganze Zeit nur aufgeblickt hatte, breitete sich langsam zu den Seiten hin aus und das Gefühl der Befreiung nahm zu. Damit einhergehend stieg auch die Hitze, weil der Bergweg der direkten Sonneneinstrahlung ausgesetzt war. Auf den von der Sonne weiß gebrannten Felsen standen Wildziegen und weit unterhalb des Weges, den ein Pferdewagen nur knapp passieren könnte, strömte ein Fluss.

Folgte man diesem langen, schroffen Weg für mehrere Stunden, überquerte unterwegs eine Hängebrücke und lief noch eine Weile weiter, kam man bei Dominics Haus an.

Dieses Haus, erbaut auf einem Plateau, das sich mitten in den Bergen öffnete, sah aus, als wären mehrere quaderförmige Schachteln miteinander verbunden.

Aus einem hohen Schornstein stieg Rauch auf und oben auf den Klippen, die hinter dem Haus aufragten, drehten sich Windräder.

Winry war jetzt zum zweiten Mal hier. Genau wie damals, als sie zusammen mit Edward und den anderen gekommen war, hallten die Klänge einer Stahlschmiede aus Dominics Haus.

»Guten Tag!« Sie hatte an die Eingangstür geklopft, woraufhin Dominics Sohn Ridel und dessen Frau Satera die Köpfe herausstreckten.

»Ah, Winry!«

»Willkommen! Danke für neulich! Schau mal, Winry ist da!«, sagte Satera sanft zu dem kleinen Baby, das in ihren Armen schlief.

Die junge Mechanikerin war erst vor Kurzem in diesem Haus gewesen, weil sie wegen eines Sturms hier festgesessen hatte. Sie war bei Sateras Geburt dabei gewesen und irgendwie hatten sie es geschafft, das Baby sicher auf die Welt zu holen. Man konnte sagen, dass Winry für Ridel und Satera eine Retterin war, die das Leben von Mutter und Kind beschützt hatte.

»Wir haben ihn Pitora genannt!«

»Hallo, Pitora ...! Obwohl seit seiner Geburt noch gar nicht so viel Zeit vergangen ist, ist er schon so groß geworden!«

Winry streichelte Pitoras Pausbäckchen sanft mit der Fingerspitze. Nur ein winzig kleines bisschen beneidete sie gerade das Baby, das ohne jegliche Sorge friedlich schlief und dabei ruhig und gleichmäßig atmete.

»Ähm, heute bin ich in Garfiels Auftrag hier und soll Stahl abholen. Ist es in Ordnung, wenn ich Dominic in seiner Werkstatt kurz störe?«, sagte Winry zu Ridel, der in die Küche gegangen war, um Milch zu erwärmen, solange sie das unschuldige Gesicht des schlafenden Säuglings betrachtet hatte.

»Ja, wir haben es von Garfiel gehört. Der Stahl ist bei meinem Vater, also geh ruhig hin!«

Ridel deutete mit dem Finger in die Richtung, in der sich die Werkstatt befand. Winry streichelte noch einmal die Wange des Babys und trat dann nach draußen, um diesmal an die Tür von Dominics Atelier zu klopfen.

Als sie eine leise Antwort hörte und die Tür öffnete, wurde sie von einer Hitze empfangen, wie sie für Orte, an denen mit Metall gearbeitet wurde, typisch war. In dem kleinen, gemütlichen Raum war ein Mann mit einem strengen Gesicht gerade dabei, eine glühende Stahlplatte in Form zu schlagen. Schweiß lief ihm über die Stirn.

»Guten Tag, Dominic!«

»Bist du also gekommen?«, sagte dieser, ohne Winry auch nur anzusehen. So wie er die Lippen fest aufeinanderpresste, die Mundwinkel senkte und seine Stirn in Falten legte und Eisen schmiedete, sah er wie ein wahrer Sturkopf aus. »Na, dann setz dich da hin.«

Dort, wo Dominic in schroffem Ton hingewiesen hatte, gab es nichts außer Holzkisten. Winry setzte sich auf die Kiste, auf die er gedeutet hatte. Schräg vor ihr befanden sich die Feuerstelle aus Stein und in den Flammen der glühend rote Stahl. In der Werkstatt war es heiß, sodass dem Mädchen vom bloßen Stillsitzen nach und nach Schweiß auf die Stirn trat.

Winry drehte ihren Kopf und sah auf der Ablage aus Ziegeln, die an der Wand stand, mehrere Metallplatten liegen. Darunter war ein Zettel eingeklemmt, auf dem ›Garfiel: fünf Rollen‹ geschrieben stand.

»Bei denen da seh ich später nach, dass sie nicht verformt sind. Ich kann mich hier grad nicht loseisen, also wart bitte ’nen Moment.«

Dominic, der bemerkt hatte, wo Winrys Blick hingewandert war, sagte nichts weiter und konzentrierte sich wieder auf die Arbeit unter seinen Händen.

Schweigend lauschte das Mädchen dem wiederkehrenden, hohen Geräusch. *Klonk! Klonk!* Auch Dominic war keiner, der viel redete. Zwischen den beiden erklangen nur fortwährend die Töne des gerade bearbeiteten Stahls. Sie verstummten nur, wenn Dominic seine Arbeit unterbrach, um die Form der Stahlplatten zu überprüfen, die er mit einer Zange fasste und hochhob. Für gewöhnlich floss Rush Valley über vor Lärm der Werkzeuge und Gerätschaften, die die Mechaniker benutzten, und dem Stimmengewirr der Leute, doch jetzt war bloß dadurch, dass Dominics Hände ihre Arbeit unterbrochen hatten, Stille eingekehrt.

Der Wind, der durch ein kleines Fenster hereinwehte, streichelte auf seinem Weg Winrys verschwitzte Stirn. Draußen vor dem Fenster breitete sich ein transparenter blauer Himmel aus. Irgendwo in der Ferne war ein Schwarzmilan zu hören.

Dem Mädchen wurde bewusst, dass es eine ziemlich lange Zeit nicht mehr in Stille verbracht hatte.

»Du ziehst aber ein langes Gesicht«, sagte Dominic plötzlich, während er mit einer seiner Pranken einen Hammer festhielt. »Wo ist deine Munterkeit von neulich hin?«

Klonk! Das Hämmern begann wieder.

Bei ihrem letzten Besuch hatte sie vor Tatendrang nur so gesprüht. Sie hatte Dominic voll Eifer gebeten, sie als seine Schülerin aufzunehmen, und die Beherztheit gezeigt, Satera bei der Geburt beizustehen. Doch jetzt zeigte das Mädchen absolut nichts von diesem Elan.

»…« Winry betrachtete den von Dominic geschlagenen Stahl, machte kurz darauf aber den Mund auf: »Ich habe bei der Arbeit Fehler gemacht.« Sie erzählte ihm, was sich alles ereignet hatte, seit sie nach Rush Valley gekommen war. »Ich war so begeistert davon, neue Technik gewonnen zu haben, dass ich die Gefühle eines Jungen namens Darish, der wegen seiner Beinprothese zu uns in den Laden gekommen war, nicht bemerkt habe. Deshalb habe ich alles auf meine eigene Art überdacht und mich bemüht, sorgfältig auf die Kunden einzugehen … Das hat dann dazu geführt, dass ich in Zeitnot geraten und unbemerkt bei der Arbeit nachlässig geworden bin und sogar das Elektrowerkzeug, das alle zusammen gekauft hatten, kaputt gemacht habe …«

Winry blickte auf ihre Handfläche hinunter, mit der sie vergangene Nacht die Tür zum Geschäft eines skrupellosen Händlers aufgedrückt hatte. »Ich habe allen Umstände bereitet und als ich es wiedergutmachen wollte, bin ich zu einem Laden gegangen, zu dem ich nicht hätte gehen dürfen. Obwohl Darish in der Zwischenzeit zu uns in die Werkstatt gekommen war, um noch einmal mit mir zu sprechen, habe ich auch diese Gelegenheit noch zunichtegemacht …!«

Die junge Mechanikerin ballte ihre offene Hand schmerzhaft zur Faust und ihre Lippen zitterten. Noch immer schweigend schwang Dominic weiterhin unbekümmert den Hammer. Es war nicht so, dass er mit seiner Haltung das Gespräch ablehnte; vielmehr wollte er sie im Stillen dazu auffordern, das herauszulassen, was ihr auf dem Herzen lag.

»Wenn ich nur Technik und Wissen nachlaufe, verliere ich die Gefühle der Kunden aus den Augen. Doch gehe ich ausgiebig auf sie ein, gerate ich in Zeitnot und schaffe meine andere Arbeit nicht. Wenn das so ist, bleibt mir nichts anderes übrig, als mich für eins von beidem zu entscheiden. Mach ich das nicht, werde ich sowohl unseren Kunden als auch Garfiel und den anderen Umstände bereiten ...!«

Winrys Gefühle, die bis eben noch wie verschüttet gewesen waren, kamen auf einmal in ihr hoch. Am Ende liefen ihr Tränen übers Gesicht und es schüttelte sie vor Weinen.

»Aber für welche Seite soll ich mich entscheiden, um es richtig zu machen? Und was ist, wenn die Antwort, die ich mir hier überlege, wieder zu einem Rückschlag führt ...? Ich weiß nicht mehr, wie ich mich verhalten soll ...!«

Winrys Gefühle waren gewiss nicht verschüttet gewesen. Doch weil das, was sie unter Aufbietung aller Kräfte getan hatte, vor ihren Augen zusammengebrochen war, und zwar aus ihrem eigenen Verschulden heraus, war sie nicht in der Lage gewesen, einen Ort zu finden, an dem sie ihre Emotionen hätte herauslassen können. Das Mädchen wurde von seinen unkontrollierten Gefühlen überwältigt und ihm liefen ununterbrochen Tränen übers Gesicht.

Wie viel Zeit wohl vergangen war?

»Es tut mir so leid! Dass ich geheult hab und so ...«

Nach einer Weile wischte sich Winry die noch verbliebenen Tränenspuren mit den Händen von den Wangen, auch wenn sie immer noch schluchzte. Ihr Gefühlssturm schien sich beruhigt zu haben – vielleicht weil sie ungehemmt geweint hatte.

Währenddessen hatte Dominic seine Arbeit nicht aus der Hand gelegt und aufmerksam den Stahl geschlagen. Deshalb richtete er auch keine tröstenden Worte an das Mädchen, doch Winry war dankbar dafür, dass er ihr die Möglichkeit gewährt hatte, sich nach Herzenslust auszuweinen.

»Du brauchst dich nicht zu entschuldigen. Das Weinen war der Beweis dafür, wie viel Mühe du dir gegeben hast ... Aber du musst wissen, dass es nicht immer gut ausgeht, egal, wie sehr man sich anstrengt«, sagte Dominic nüchtern, ohne die Augen vom Stahl abzuwenden, den er gerade in Form schlug. »Vor langer Zeit hat bei mir die Technik, die ich über zehn Jahre hinweg entwickelt hatte, bei bestimmten Materialien nicht funktioniert. Ich hatte meine Fähigkeiten überschätzt und nicht genug gelernt.«

»Zehn Jahre ...« Bei dieser Zahl riss Winry die Augen weit auf. Das noch junge Mädchen konnte kein richtiges Gefühl dafür aufbringen, wie lange so eine Zeitspanne wirklich war. »Was haben Sie damals gemacht, Dominic?«, fragte sie unwillkürlich, ohne zu wissen, wie sie sich selbst fühlen würde, wenn sie erführe, dass das, was sie zehn Jahre gekostet hatte, nicht zu gebrauchen war.

»Ich hab mich aufgeregt.«

»Aufgeregt?«

»Es war genauso wie bei dir eben, Mädchen. Dir sind doch wohl jämmerlich die Tränen geflossen, und ich war wütend auf mich selbst und hab mich aufgeregt.«

Seine Redeweise, wie er nüchtern von der Vergangenheit erzählte, fast so, als ob gar nichts Größeres vorgefallen wäre, empfand Winry, die sich gerade nicht rühren konnte, als äußerst beneidenswert.

»Wie haben Sie dann Ihre Gefühle wieder umgeschaltet und die Situation überwunden? Wenn es eine Gelegenheit oder Methode gäbe …!«

Dominic hatte viele Jahre mehr auf dem Buckel als Winry. In der Vergangenheit war er bestimmt schon öfters mit schwierigen Situationen konfrontiert gewesen. Doch jetzt besaß er solch großartige Fähigkeiten als Mechaniker und machte seine Arbeit mit Selbstbewusstsein. Das Mädchen hatte das Gefühl, dass Dominic wissen musste, wie es seinem jetzigen Kummer entfliehen konnte.

Doch wie um ihre Erwartungen zu enttäuschen, schüttelte der Mann abweisend den Kopf. »Eine Methode? So was gibt's nicht.«

»…«

Winry war enttäuscht und zog ihren Körper zurück, den sie zuerst vorgelehnt hatte. Sie war von selbst darauf gekommen, dass eine festgelegte Antwort auf ihre Frage von vornherein nicht existierte, und ging noch einmal in sich. Sie hatte sich unwillkürlich von ihren Gefühlen mitreißen lassen, aber einen Weg, ihre Situation zu überwinden, musste sie selbst finden.

Erneut kehrte Schweigen ein.

Eine Zeit lang formte Dominic seinen Stahl, doch vielleicht hatte er sich bald ein Stück weit beruhigt, denn er steckte das heiße Metall in einen mit Wasser gefüllten Bottich. Der Dampf, der dabei mit einem *Pschhht* aufstieg, löste sich vor Winrys Augen in Luft auf und verschwand.

Ohne Eile stand Dominic auf und kehrte mit dem Stahl, der auf den Ziegeln gelegen hatte, in den Armen zurück. Dann ergriff er jede Platte einzeln mit einer Zange, die sich auf dem Arbeitstisch befunden hatte, hob sie hoch und hielt sie sich vor die Augen. Er kniff sie zusammen und überprüfte, ob die Platten an den Seiten auch nicht verzogen waren. Anschließend packte er sie in einen dicken Sack.

»Hier! Danke, dass du gewartet hast.« Alle fünf Platten waren wohl zu seiner Zufriedenheit. Der Sack mit dem Stahl wurde in Winrys Hände übergeben. »Wenn du sie auf deine Füße fallen lässt, verletzt du dich. Pass auf dem Heimweg beim Tragen auf!«

»Ja, haben Sie vielen Dank!«

Das Mädchen räumte den Sack in seine Tasche, hängte sich diese über die Schulter und stand nach wie vor niedergeschlagen auf.

Sonnenstrahlen fielen ins Atelier, als sie die Tür öffnete. Während sie ihre Augen mit einer Hand abschirmte, wollte sie nach draußen gehen, doch da rief sie eine Stimme von hinten: »Winry …!« Sie drehte sich um und sah, wie Dominic, der noch immer saß, sich mit ernstem Gesicht am Kopf kratzte. »Dass du bei deiner Arbeit ins Straucheln geraten bist, war jetzt aber doch nicht das erste Mal, oder?«

»Nein«, sagte Winry nickend, fügte dann aber zurückhaltend hinzu: »Allerdings habe ich bisher nicht so große Fehler gemacht. In Resembool hab ich immer alles ordentlich hinbekommen, und wenn mal doch nicht, waren das wirklich nur Kleinigkeiten ...«

»Das lag aber daran, dass die Welt, in der du gelebt hast, klein war.«

Die Welt, in der du gelebt hast, war klein. Obwohl seine Worte streng klangen, fuhr Dominic fort: »Die Gegend, in der du geboren wurdest und aufgewachsen bist, vertraute Kunden, befreundete Arbeitskollegen ... Aber, na ja, ich kann mir nicht vorstellen, dass Pinako, wie ich sie kenne, zu nachsichtig mit dir war.«

Dominic, der Pinako in jungen Jahren kennengelernt hatte, trat kalter Schweiß auf die Stirn, als ob er sich an etwas Unangenehmes in seiner Vergangenheit erinnerte. Doch er riss sich sofort wieder zusammen und sprach weiter: »In einer kleinen, beschränkten Welt ist auch die Verantwortung klein. Selbst wenn man einen Fehler macht, ist es nicht weiter schlimm. Aber jetzt bist du in die große Welt namens Rush Valley gekommen. Hier gibt's zahlreiche Läden und viele Kunden und das technische Know-how und die Freude, die du gewinnen kannst, sind riesig. Wenn du also etwas anrichtest, ist es auch dementsprechend groß ... Mit anderen Worten wird alles, mit dem du's zu tun bekommst, riesengroß.«

Seine gedämpft und ohne Betonung gesprochenen Worte hatten ein wenig grob geklungen. Aber die inhärente Bedeutung besaß ein unglaubliches Gewicht. Winry griff nach dem Trageriemen ihrer Tasche, die sie sich über die Schulter gehängt hatte, während sie dem lebenserfahreneren Mann, den sie auch als Mechaniker bewunderte, in dem Bestreben zuhörte, das Gesagte aufrichtig anzunehmen.

»Aber weißt du ... Bald wirst auch du selbst wachsen und mit all dem fertigwerden können. Auch wenn es bis dahin hart sein wird ... Hmm, ich muss es anders sagen ... Ähm, und deshalb, auch wenn es vielleicht hart werden sollte, wirst du nix hervorbringen können, wenn du nur Angst vor Rückschlägen hast. Es hat dir zwar bestimmt einen Schrecken eingejagt, als du Fehler gemacht und andere Leute mit hineingezogen hast, aber du bist doch nicht allein, Mädchen, oder? Und darum ... Was du jetzt denken solltest, ist ... ähm ... mit andern Worten ... Wie sagt man doch gleich ...?«

Eigentlich war Dominic ein schweigsamer Mann. Es fiel ihm schwer, Worte flüssig hervorzubringen, sodass sie letzten Endes nicht mehr nachkamen. Der Mann stockte und kratzte sich erneut am Kopf. »Ach, ich kann's nicht gut ausdrücken.« Er gab ein tiefes Brummen von sich, verschränkte die Arme, drehte den Kopf und brummte wieder. Auf der Suche nach Worten war Dominic in große Bedrängnis geraten, zwang sich aber letzten Endes, damit zu schließen: »Anders gesagt geht's um die Frage, was für eine Mechanikerin du werden willst!«

Vielleicht war auch ihm selbst klar, dass man das schwerlich als einen leicht verständlichen Ratschlag bezeichnen konnte, denn nachdem er zu Ende gesprochen hatte, verzog er wenig überzeugt und unzufrieden den Mund. Doch dass er versuchte, ihr Mut zu machen, war auch bei Winry angekommen.

»Ich werde mir Mühe geben.«

»Yo, streng dich an!«

Die junge Mechanikerin verbeugte sich und sah, dass Dominic ihr den gleichen sturen, missmutigen Gesichtsausdruck wie bei ihrer Ankunft schenkte.

»Ich werde mir Mühe geben, was ...?«, murmelte Winry leise, während sie den Weg, den sie gekommen war, wieder zurücklief. Obwohl sie Dominic das gesagt hatte, war sie noch immer niedergeschlagen.

»Soll ich weniger Zeit mit den Kunden zubringen, um keine Fehler zu machen? Oder soll ich mein Pensum reduzieren, um jede einzelne Aufgabe sorgfältig ... Nein, wenn ich mir zu viel Zeit lasse, werde ich nichts Neues lernen können. Und das, obwohl ich sowohl für Ed als auch für meine Kunden die bestmöglichen Automails bauen will ...«

Winry grübelte intensiv darüber, wie sie sich in Zukunft verhalten sollte, als sie im Hals ein Stechen spürte. Trotz ihres innigen Wunsches, ihre Arbeit gut zu machen, war sie nicht dazu in der Lage – das war frustrierend und erbärmlich.

Traurig lief das Mädchen weiter. Seine leer gewordene Lunchbox klapperte laut. Da öffneten sich die Felsen, die hoch aufragten, wie um die Umgebung abzuschirmen, und die Hängebrücke kam in Sicht. Sie war bei einem großen Sturm durch einen Blitzschlag zerstört worden und bereits wiederhergestellt. Diese Brücke schwankte nun im Wind, der aus dem tiefen Tal in die Höhe blies.

Winry blieb am Fuß der Brücke stehen, lehnte sich vor und spähte in die Schlucht hinunter. Der auf unnatürliche Weise vorstehende Felsen zu ihren Füßen war ein Überbleibsel von Edwards Versuch, mithilfe von Alchemie eine Brücke zu erschaffen.

»Ob es Ed und Al wohl gut geht …?«

Sie hielt ihre Haare, durch die der Wind fegte, mit einer Hand fest und dachte an die beiden Brüder, die sich nach Dublith begeben hatten. Wie sehr wünschte sie sich jetzt, unbeschwert mit ihnen zu quatschen.

Nachdem sie die Hängebrücke überquert hatte, machte Winry noch etwa dreimal Pause und lief eine Weile den Bergweg entlang weiter. Das Sonnenlicht pikste ihre Haut zuerst noch, wurde nach und nach aber schwächer. Das Hellblau des Himmels wandelte sich zu Orange und dann in ein Rot. Dann breitete sich endlich die ins Abendlicht getauchte Stadt Rush Valley zu ihren Füßen aus.

Winry steckte die Stahlrollen, die sich beim Laufen über den Rand ihrer Tasche geschoben hatten, wieder hinein und stieg weiter den Hang hinab.

Als sie der Stadt schon so nahe war, dass deren Lärm sie erreichte, erschien plötzlich ein Schatten in ihrem Blickfeld. Dieser kleine Schatten, der neben den Klippen kauerte und ihr bekannt vorkam, schniefte und weinte.

»Lettie …?«

Lettie hatte im Licht der Abendsonne die Arme um die Knie gelegt und saß auf dem nackten Erdboden.

»Ah, Winry …«

Aus einem Knie des Mädchens, das den Kopf gehoben hatte, lief Blut.

Obwohl sich die Stadt in unmittelbarer Nähe befand, waren die steil aufragenden Berge kein Ort, an den ein Kind allein geriet. Hastig lief Winry zu dem kleinen Mädchen und ging vor ihm in die Hocke.

»Was machst du hier?«, fragte sie verwundert. Es war schwer vorstellbar, dass Darish mit seinem schmerzenden Bein seine Schwester mitnehmen und den Bergweg entlanglaufen würde. Da blickte Lettie zu Boden und rieb sich mit dem Handrücken die Spuren der Tränen aus dem Gesicht.

»Ich bin ganz allein hergekommen ...«

»Allein?«, wiederholte Winry und wunderte sich erneut.

Lettie spitzte die Lippen und spielte mit den kleinen Steinchen zu ihren Füßen herum.

»Mein Bruder meint immer, dass ich störe! Und obwohl ich mir ganz viel Mühe gegeben hab, es nicht zu tun, ist er wütend geworden und hat gesagt, dass ich abhauen soll! Er hat gesagt, dass ich irgendwo allein spielen soll, weil es ihn nervt, wenn ich immer in der Nähe bin ...!«

Nachdem sie wie eine Plage behandelt worden war, hatte Lettie anscheinend nicht mehr bleiben wollen, war nach draußen gestürzt und bis in die Berge gelaufen. Beim Spielen hatte sie sich dann wohl das Knie aufgeschürft, Angst bekommen und sich hierhin gesetzt.

Winry wusste nicht, was sie der Kleinen sagen sollte. Lettie betete ihren großen Bruder an. Deshalb hatte sie versucht, seine

Krücke zu halten, oder sich riesige Mühe gegeben, Gespräche mit ihm anzufangen. Darish indessen benahm sich seiner kleinen Schwester gegenüber außerordentlich kalt.

»Ich kann meinen Bruder nicht leiden, weil er immer nur böse ist! Ich will nichts mehr mit ihm zu tun haben!«, sagte Lettie wütend, griff nach einem Steinchen und warf es auf den Boden. Sie war offenbar wütend und traurig zugleich. In ihre Augen, mit denen sie dem kleinen davonrollenden Stein folgte, traten Tränen.

»Lettie ...«

Die Gefühle des Mädchens, das seine Stirn in strenge Falten gelegt hatte und sich mit Gedanken quälte, konnte Winry auf schon fast schmerzliche Weise nachvollziehen. In ihrem jetzigen Zustand ähnelten sich Winry und Lettie. Obwohl sie sich nach Kräften bemüht hatten, hatten sich beide im Kreis gedreht und quälten sich nun, ohne einen Weg herausfinden zu können.

Mit unerträglich schweren Gedanken legte Winry eine Hand auf Letties blutendes Bein und zog es nach vorn, um das Knie zu strecken.

»Zeig mir mal dein Knie. Es blutet, also lass es uns versorgen.«

Die junge Mechanikerin holte die Trinkflasche aus ihrer Tasche, öffnete den Deckel, goss das verbliebene Wasser langsam über die Wunde auf Letties Knie und spülte so den Schmutz heraus. Mit noch immer gespitzten Lippen ballte das Mädchen seine kleinen Hände, die es auf seine Schuhe gelegt hatte, hart zu Fäusten zusammen.

Winry spürte, wie Gestik und Mimik des bloß noch schmollenden Kindes ihr eine Erinnerung aus ferner Vergangenheit ins Gedächtnis rief. Eine Vergangenheit, in der sie ebenfalls geweint, sich aufgeregt, die Lippen gespitzt und geschmollt hatte. Warum war sie beleidigt gewesen? Und wie war die Situation damals gelöst worden? Ihre Erinnerung war uneindeutig.

»Wann das wohl war …?« Während sie ihr in weite Ferne folgte, kehrten die verschwommenen Szenen langsam in ihr Gedächtnis zurück.

Warme Strahlen der nachmittäglichen Sonne, die ins Wohnzimmer fielen. Auf dem Tisch lag ausgebreitet ein großes weißes Tuch und eine Schere. Und dann die Hände, ebenso klein wie ihre eigenen, die ihre abklatschten, wie um sie anzufeuern.

»Ah …« Winry hatte sich klar erinnert. »Das war, als ich Mama und Papa geholfen habe …«

Zu jener Zeit wohnte die noch ganz kleine Winry mit ihren Eltern zusammen.

Im Haus gab es neben den Räumen, in denen Pinako ihrer Arbeit als Automail-Mechanikerin nachging, noch eine Klinik, die Winrys Eltern, beide Ärzte, eröffnet hatten.

Als der Ishval-Bürgerkrieg ausbrach und in der Folge überall im Land kleinere Konflikte entstanden, brauchten immer mehr Menschen Pinakos Prothesen. Auch Winrys Eltern mussten neben der täglichen Gesundheitsversorgung zwangsläufig häufiger Operationen und Behandlungen durchführen, um diesen Menschen das Tragen von Prothesen zu ermöglichen. Da Winry ihrer Mutter und ihrem Vater in dieser Situation helfen wollte und diesen Wunsch trotz ihres jungen Alters vorbrachte, bekam sie einfache Aufgaben von ihnen.

Seit seinen frühesten Kindertagen, als es noch nicht einmal sicher laufen konnte, hatte das Mädchen Interesse an den kleinteiligen Automails gezeigt. Schon bald baute es nach seiner eigenen Vorstellung Dinge aus Teilen, die man ihm gegeben hatte, denn seine Finger waren geschickt. Ob es darum ging, Instrumente nach ihrem Verwendungszweck sortiert aufzureihen oder kleine Behälter bis in jeden Winkel auszuwaschen – Winry bewältigte die meisten Aufgaben.

Doch eine Sache vermochte sie nicht: Bandagen zu fertigen.

Ein großes weißes Tuch sollte mit einer Schere in schmale gerade Streifen geschnitten werden. Aus irgendeinem Grund konnte sie es einfach nicht. Egal, wie oft sie in den Stoff schnitt, den sie auf dem Tisch ausgebreitet hatte, es wurde jedes Mal entweder schief oder die Ränder waren gezackt, sodass sie nur immer mehr Stofffetzen produzierte, die nicht zu gebrauchen waren.

»Ich hab's schon wieder vermasselt ...!«

Soeben hatte Winry den Streifen, den sie lang und schmal zuschneiden sollte, mittendrin durchtrennt. Als sie im Wohnzimmer kurz vor einem Tobsuchtsanfall stand, hörte sie durchs Fenster Stimmen.

»Winry, komm raus!«

»Lass uns zusammen spielen!«

Sie wandte sich um und sah zwei blonde Köpfe vor dem Fenster, die abwechselnd in Sicht kamen und wieder verschwanden. Der mit den kurz geschnittenen Haaren war Alphonse. An seiner Seite stand Edward, dessen eine wie eine Antenne straff nach oben abstehende Haarsträhne gerade noch erkennbar wackelte.

»Spielt zu zweit! Ich bin noch nicht fertig mit Helfen!«, rief das Mädchen zu den Brüdern, die zum Spielen gekommen waren, von ihrem Stuhl aus und nahm erneut die Schere zur Hand. Allerdings brachte sie nicht mehr als einen Stofffetzen von wenigen Zentimetern Länge zustande.

»Hab keine Lust meeehr!«

Winry warf die Schere hin und legte ihren Kopf mit dem Gesicht nach unten auf das zerschnittene Tuch. Es war frustrierend, dass sie es nicht so hinbekam, wie sie es sich vorgestellt hatte, und wollte am liebsten gleich losweinen.

Da erklang plötzlich eine Stimme direkt neben ihr: »Was machst du da?«

Überrascht hob sie den Kopf und Edward stand unerwartet neben ihr. Anscheinend war er ohne zu fragen einfach durch die Tür hereingekommen, die zum Lüften offen stand.

Um zu verbergen, dass sie kurz vor einem Tränenausbruch gewesen war, rieb sich Winry hastig die Augen, doch Edward schaute ihr trotzdem direkt ins Gesicht.

»Heulst du etwa?«

»Darf ich reinkommen? Nanu, was ist los?«, rief Alphonse in den Raum hinein und betrat ihn ebenfalls. Er erschien mit einem Mal an Edwards Seite, bemerkte Winrys weinerlichen Gesichtsausdruck und zog besorgt die Augenbrauen zusammen.

Es widerstrebte Winry zwar irgendwie, ihnen von ihrem Missgeschick zu erzählen, doch ihre Kindheitsfreunde beobachteten sie und so blieb ihr nichts anderes übrig, als mit dem Finger auf den Stoffberg zu zeigen.

»Ich versuche Bandagen zu machen, aber das klappt überhaupt nicht ...«

Da legte Edward eine Hand ans Kinn, sagte »Ha haaa!« und nickte, als hätte er die Sache vollkommen durchschaut. »Hast du etwa deswegen geschmollt?«

»Halt die Klappe! Wie sehr ich mich auch anstrenge, ich krieg's einfach nicht hin! Wo du's jetzt weißt, kannst du auch abhauen!«

Das Mädchen spitzte beleidigt die Lippen und wandte im Nu das Gesicht ab. Doch anstatt rauszugehen, setzte sich Edward auf den Stuhl neben ihr und nahm die Schere, die auf dem Tisch lag, in die Hand.

»Tjaa, dann helfe ich dir! Du wirst sehen, so was kann ich mit links!«, sagte er, setzte die Schere am Stoff an und schnitt eifrig los. Allerdings driftete er ordentlich schräg ab, sodass eine übermäßig breite, unansehnliche Bandage entstand. »H... Hä?! Das ist aber seltsam!« Edward hatte es gründlich vermasselt, doch während er den Kopf schief legte, setzte er die Schere erneut in Bewegung. Natürlich hätte er es so einfach gar nicht schaffen können, rief aber: »Warte, warte, lass es mich noch mal versuchen!«, und schnitt immer weiter ins Tuch, ohne die Schere hinzuschmeißen.

»Ist das so schwierig? Lasst mich auch mal!«

Alphonse, der von der gegenüberliegenden Tischseite aus zugesehen hatte, wie sein Bruder nur noch mehr nutzlose Stofffetzen produzierte, stellte sich der Herausforderung. Seine Hände glitten durch den Stoff. Im Nu erschien eine lange, schmale Bandage und Winry machte große Augen.

»Al, du bist super!«

»So'n M...!« Neben Winry, die voll Bewunderung war, knirschte Edward frustriert mit den Zähnen. Er konnte nicht zulassen, dass die Sache für ihn, den älteren Bruder, mit einem totalen Gesichtsverlust endete, also entriss er Alphonse die Schere. »Winry, komm, strengen wir uns auch an!«, sagte er ermutigend und ballte die Hände zu Fäusten, vielleicht aus einem Gefühl der Solidarität zwischen denjenigen, die die Bandagen nicht hinbekamen, und einem Bewusstsein der Rivalität mit seinem kleinen Bruder heraus.

Doch anders als Edward, der in Fahrt gekommen war, schüttelte Winry vehement den Kopf. »Ich kann das nicht so einfach!«

»Wenn du es machst, wirst du es schon lernen! Hey!«

Widerwillig versuchte Winry, der die Schere mit Gewalt aufgezwungen wurde, das Tuch zuzuschneiden. Wie erwartet klappte es nicht gut. Trotzdem sagte Edward: »Noch mal!«, und das Mädchen schnitt das Tuch unter großen Qualen immer und immer wieder. Wurde der Streifen schief, achtete sie darauf, beim nächsten Mal unbedingt gerade zu schneiden. Wurde er zu schmal und riss mittendrin ab, versuchte sie daraufhin, ihn etwas breiter zu machen.

Wie viele Dutzend Versuche hatte Winry jetzt schon hinter sich? Endlich schnitt sie vom großen Tuch einen langen, schmalen Streifen ab. Er ließ sich zwar kaum schön nennen, aber man konnte ihn als tadellose Bandage bezeichnen.

»Wow, du hast's geschafft!«, sagte erfreut Edward, der sich von der Seite her vorlehnte und Winrys Hände beobachtete, als wäre der Erfolg sein eigener. »Siehst du?! Hab doch gesagt, dass du's kannst! Solang du deine Hände bewegst, wird's schon irgendwie werden!«

»Das war bestimmt nur Zufall. Es muss nicht unbedingt immer klappen ... Was soll ich nur machen, wenn's wieder schiefgeht?«

Nachdem sie die ganze Zeit Rückschläge eingesteckt hatte, ließ Winry besorgt den Kopf hängen – obwohl sie sich schon darüber freute, dass sie endlich eine Bandage hinbekommen hatte.

Doch Edward warf sich stolzgeschwellt in die Brust.

»Wenn etwas nicht gut läuft, hör ich auf mein Herz!«

»Was heißt das?«

»Ob du etwas wirklich machen willst! Wenn du das trotz allem denkst, solltest du weiter deine Hände bewegen, statt dir einen Kopf zu machen! So wirst du alles irgendwann schaffen! Gerade war's doch auch so, oder?«

Edward grinste und klatschte mit seiner kleinen, warmen Faust die Hand des Mädchens ab, das den Bandagenstreifen zugeschnitten hatte.

»Ist es in deinem Fall nicht eher so, dass es dir nur zu lästig ist, deinen Kopf zu benutzen, Ed?« Als Alphonse, der die Entwicklung dieses Gesprächs aufmerksam verfolgt hatte, das mit einem gequälten Lächeln äußerte, bleckte Edward die Zähne.

»Was hast du da gesagt?!«

»Hey, jetzt bist du der Einzige, der's nicht kann, Ed!« Alphonse wich flink der Hand seines großen Bruders aus, der ihm auf den Kopf hauen wollte.

Da setzte sich Edward, der sich auf seinen Stuhl gestellt und versucht hatte, seinem kleinen Bruder eine Lektion zu erteilen, hastig wieder hin, richtete sich auf und packte die Schere. »Ja, stimmt! Seht nur zu, beim Nächsten klappt's bestimmt ...!«

Sein schlichtes und geradliniges Verhalten brachte Alphonse und Winry zum Lachen. Als er auf seine Unkompliziertheit aufmerksam gemacht wurde, musste sogar Edward grinsen.

Lange hallten die fröhlichen Stimmen der drei noch durch das Wohnzimmer der Familie Rockbell.

»Soll ich versuchen ... auf mein Herz zu hören?«

Winry legte ihre vom Abendlicht rot gefärbte Handfläche sanft auf ihre Brust.

»Winry? Was ist los mit dir? Ist alles okay?« Mit ihren großen Augen sah Lettie zu dem älteren Mädchen hoch, das plötzlich in Schweigen verfiel und dessen Hände in der Bewegung innehielten.

Winry beeilte sich, die Hand von ihrer Brust zu nehmen. Schließlich war sie doch gerade dabei gewesen, Letties Wunde zu behandeln. »Ah, tut mir leid!«

Sie schloss den Deckel der Wasserflasche, näherte ihr Gesicht dem Knie des kleinen Mädchens und betrachtete die Wunde. Obwohl Blut hervorsickerte, war kein Schmutz mehr darin. »Wie fühlt sie sich an? Pocht die Wunde?«

»Nur ein bisschen.«

»Wenn wir dich wieder nach Hause gebracht haben, lass sie uns sofort desinfizieren, okay? Ich kleb fürs Erste nur ein Pflaster drauf.« Da sie arbeitsbedingt häufig Abschürfungen an den Fingerspitzen bekam, hatte Winry immer welche dabei. Nachdem sie Letties nasses Knie sanft mit einem Taschentuch abgetupft hatte, holte sie ein Pflaster aus ihrer Tasche und klebte es auf. »Damit dürfte es gehen! Tut es noch sehr weh?«

»Nein.« Obwohl das kleine Mädchen bis eben noch kurz vor einem Tränenausbruch gestanden hatte, lachte es nun – vielleicht aus Glück darüber, dass seine Verletzung so lieb behandelt worden war.

Winry betrachtete ihr lachendes Gesicht und befragte erneut ihr Herz. Was wollte sie eigentlich tun?

Die Antwort stand fest.

Sie wollte die neuesten Technologien und den Erwerb von Wissen weiterverfolgen. Sie wollte ebenfalls den emotionalen Aspekt nicht vergessen und sich ordentlich Zeit für ihre Kunden nehmen. Winry beabsichtigte, eine Mechanikerin zu werden, die beide Seiten vereinte – mit dem Bestreben, die Menschen, die Automails trugen, aufzuheitern und auf aller Lippen ein Lächeln zu zaubern. Das sagte ihr ihr Herz.

Jetzt begriff sie endlich, was Dominics Worte bedeuteten.

Es gab eine Verbindung zwischen dem, was Dominic und Edward gesagt hatten. Ein starker Wille, um die Art von Mechanikerin zu werden, die sie sein wollte, war wichtig – und die einzige Methode, sich diesem Ideal zu nähern, bestand darin, den Weg weiterzugehen, für den sie sich entschieden hatte, selbst wenn sie Rückschläge einsteckte oder es hart für sie war.

Als Winry mit einem Ausdruck von Befreiung im Gesicht aufstand, hörte sie das Läuten der Stadtglocke. Die Sonne schob sich immer weiter hinter die Berge, unten gingen hier und da die ersten Lampen an.

»Wollen wir so langsam mal nach Hause, Lettie ...?«

Die junge Mechanikerin streckte ihre Hand dem kleinen Mädchen entgegen, das sich hingekauert hatte. Doch Lettie versuchte nicht einmal, danach zu greifen.

»Ich will nicht zu Darish ...«, sagte sie undeutlich, den Blick weiterhin auf den Boden geheftet. Mit einem freundlichen Ausdruck sah Winry auf den kleinen Rücken des Kindes hinunter, das sich die Sache mit seinem Bruder so sehr zu Herzen nahm. Sie zog ihre ausgestreckte Hand zurück und setzte sich auf den Boden, um mit Lettie, die sich nicht rührte, auf Augenhöhe zu sein.

Darish empfand seine kleine Schwester keineswegs als Störung. Er war nur wütend auf sich selbst, weil er außerstande war, zu ihr zu eilen, wenn sie ihn brauchte. Ginge Lettie ihrem Bruder von nun an deswegen aus dem Weg, würde ihn das noch mehr frustrieren. Es wäre traurig, wenn die Geschwister, die sich eigentlich gut verstanden, einander fortan meiden würden.

»Hör mal, Lettie«, sprach Winry das Mädchen sanft an und versuchte, ihr in die feuchten Augen zu schauen. »Vorhin hast du gesagt, dass du Darish nicht leiden kannst, aber stimmt das wirklich?«

»Nein ... Ich hab ihn lieb ...«, flüsterte die Kleine und schüttelte kaum merklich den Kopf, auch wenn sie die Lippen spitzte.

»Wie wär's dann, wenn du noch ein ganz kleines bisschen durchhältst und an seiner Seite bleibst?«

»…« Lettie presste die Lippen fest zusammen und betastete mit den Fingern ihre Schuhspitzen. Sie verabscheute ihren Bruder nicht. Ihr Herz war voller Erinnerungen an den starken und lieben Darish. Dass sie dennoch nicht sofort zustimmen konnte, war ihrer Angst geschuldet, abgewiesen zu werden – gerade weil sie ihren Bruder so liebte.

Mit freundlicher Stimme fuhr Winry fort: »Ich glaube, dass Darish es im Moment auch nicht leicht hat, weil sein Bein wehtut. Deshalb ist er unabsichtlich gemein zu dir … Doch wenn es seinem Bein besser geht, werdet ihr euch bestimmt wieder genauso gut verstehen wie früher.«

Lettie, die nicht wusste, was zwischen Winry und ihrem Bruder vorgefallen war, drehte den Kopf und fragte das ältere Mädchen vor ihr: »Winry, kannst du Darishs Bein heilen?«

Die junge Mechanikerin brachte einen Moment lang kein Wort heraus und schüttelte nur schweigend den Kopf. Es schmerzte, der Kleinen kein zuversichtliches »Überlass das mir!« antworten zu können.

»Nein … Aber ihr werdet bestimmt einen total fähigen Mechaniker finden, der euch zuhören wird. Und dann wird auch Darish wieder mit dir spielen und rumrennen können. Aber wenn du deinem großen Bruder jetzt sagst, dass du ihn nicht leiden kannst, werdet ihr euch vielleicht nicht wieder vertragen. Das wäre doch traurig, oder?«

»Ja …« Lettie ließ den Kopf hängen und nickte dann.

»Wie wär's, wenn du noch ein bisschen an Darishs Seite bleibst? Ich denke, dass sich bestimmt alles in eine gute Richtung entwickeln wird«, sagte Winry erneut, strich langsam über Letties Kopf und durch ihr weiches schwarzes Haar.

Für den erst zwölfjährigen Darish mit seinen Schmerzen war es sicher schwierig, freundlich zu anderen zu sein, doch gerade wenn er einen guten Mechaniker fand, dem er vertrauen konnte, würde man seine Prothese sicherlich austauschen können. Wenn nur der Schmerz in seinem Bein nachließ, würde er auch seiner kleinen Schwester gegenüber ohne Zweifel wieder wohlwollender und rücksichtsvoller sein.

»Es ist zwar anders als bei dir, aber auch ich habe etwas, womit ich weitermachen will. Lass uns deshalb zusammen unser Bestes geben! Es wird bestimmt alles klappen!«

»Wirklich ...?«

»Na klar!« Winry nickte kräftig und streckte ihre Hand aus. Diesmal griff Lettie danach. Eine deutliche Antwort, an Darishs Seite bleiben zu wollen, kam zwar nicht von ihr, doch als sie aufstand, hatte sich ihr Gesichtsausdruck verändert. Obwohl ihre großen schwarzen Augen noch immer ängstlich dreinblickten, war deutlich ihr Wille spürbar, vor der jetzigen Situation nicht davonzulaufen.

Winry und Lettie nahmen einander bei den Händen und begannen den Bergweg hinabzusteigen. Wenn man beharrlich voranschreitet, ohne sich entmutigen zu lassen, erreicht man ganz sicher irgendwann sein Ziel.

Als die Sonne ihre letzten Strahlen aussandte, kniff Winry die Augen zu. In ihrem Herzen erwachte die gleiche Hoffnung und Leidenschaft für das Kommende wie damals, als sie ihre Lehre begonnen hatte.

Ein ungewöhnlich frischer Wind wehte durch die Stadt, über die sich der Vorhang der Nacht gesenkt hatte. Anscheinend war noch etwas von der Kühle übrig geblieben, die der Regen vergangene Nacht zurückgelassen hatte.

Winry wollte Lettie zuerst nach Hause bringen, ins Hotel, bevor sie in den Laden zurückkehrte.

»Ob Darish böse auf mich ist …?« Lettie fürchtete wohl, Ärger zu bekommen, weil sie einfach weggelaufen war.

»Ich denke, dass er sich Sorgen macht. Entschuldige dich ordentlich bei ihm!«

»Mach ich …«

Vielleicht hatte Lettie trotzdem Angst, denn ihr Gesicht verfinsterte sich und sie verlangsamte ihre Schritte. Dennoch schien es, als hätte sie Winrys Worte auf ihre eigene Weise verinnerlicht, denn sie blieb nicht stehen.

Winry passte die Länge ihrer Schritte an die des kleinen Mädchens an und kam zu dem Entschluss, dass sie Darish für vorigen Abend um Verzeihung bitten musste.

»Nichtsdestotrotz entschuldige ich mich in letzter Zeit andauernd …«

Sie erinnerte sich an die Fehlerkette der vergangenen Tage und musste unwillkürlich bitter lächeln. Dass sie anderen Umstände bereitet hatte, war zwar nicht zum Lachen, doch weil sie die Sache nun objektiv betrachten konnte, fand sie sich selbst erbärmlich und komisch. Nach eingehender Selbstkritik wollte sie gerade deshalb etwas derart Unschönes kein zweites Mal wiederholen.

Die beiden Mädchen passierten das Stadtzentrum, betraten die Straße, in der sich mehrere Hotels aneinanderreihten, und liefen in Richtung desjenigen, in dem Darish wahrscheinlich wartete.

»Nanu ... Da brennt ja gar kein Licht!«, sagte Lettie mit angespannter Miene in dem Moment, in dem sie vor dem Hotel ankamen. Sie klang enttäuscht.

»Welches Zimmer ist es denn?«

»Das ganz rechts im zweiten Stock!«

Das Fenster, auf das Lettie mit dem Finger zeigte, war stockdunkel.

»Ja, wirklich! Ob er ins Bett gegangen ist?«

Verwundert betraten die zwei den Ziegelbau. In der schlichten Hotellobby, wo nur ein runder Tisch mit Stühlen sowie eine Topfpflanze standen, befand sich kein Mensch – vielleicht weil die Zeit am Abend, zu der Reisende ihre Unterkunft bezogen, vorbei war.

Als sie an der Rezeption vorbeigingen, wurde der etwas ältere Angestellte, der im kleinen Hinterzimmer gerade Zeitung las, auf Lettie aufmerksam und hieß sie willkommen. Nachdem ihm die Kleine zugewinkt und Winry ihn mit einer leichten Verbeugung begrüßt hatte, öffneten sie die Türen des Fahrstuhls.

Nicht zuletzt weil viele Menschen, die auf Automails angewiesen waren, Rush Valley besuchten und sich auch die Technik dort hochgradig entwickelt hatte, hatten mehrere Hotels in der Stadt Aufzüge einbauen lassen.

Die Mädchen schlossen die Falttüren des Fahrstuhls, die aus einem Metallgitter bestanden, und drückten den Knopf. Langsam setzte sich die Kabine in Bewegung und die Wände glitten nach unten. Zwar gab es in jedem Stockwerk Türen, doch die Kabine des Aufzugs selbst hatte keine. Damit Lettie nicht das Gleichgewicht verlor und ihre Hände etwa zwischen die Außenwand und die Passagierkabine gerieten, legte Winry beide Hände auf ihre Schultern.

Im zweiten Stock angekommen lief Lettie auf dem Gang voraus und blieb vor dem Zimmer an dessen Ende stehen. »Darish?« Bangen Herzens klopfte sie an die Tür. Doch es kam keine Antwort. »Darish, bist du da?«

Winry klopfte ebenfalls. Als sie ein Ohr an die Tür legte und lauschte, gab es keine Anzeichen dafür, dass sich drinnen jemand aufhielt. »Ob er ausgegangen ist?«

Eine Weile warteten sie, doch Darish kam nicht zurück. Ratlos sah Lettie zu Winry hoch. »Ich hab keinen Schlüssel. Außerdem hab ich Hunger …«

»Hmm …« Wenn sie an der Rezeption Bescheid sagte, würde man ihnen aufschließen, doch es bereitete Winry Sorgen, Lettie allein zu lassen. Zudem wollte sie dringend Letties Knie, auf dem das Pflaster klebte, so bald wie möglich desinfizieren, da es noch immer blutete. »Wollen wir fürs Erste zusammen zur Werkstatt gehen?«

Damit sich Darish, wenn er zurückkam, keinen Kopf machte, holte Winry Notizzettel und Stift aus ihrer Tasche, schrieb darauf, dass Lettie im Atelier Garfiel sei, und steckte ihn unter die Tür. Nachdem sie vorsichtshalber noch den Hotelangestellten gebeten hatten, es Darish auszurichten, gingen die beiden wieder nach draußen.

Unter dem Himmel, an dem mittlerweile Sterne funkelten, verströmten Straßenstände den köstlichen Geruch von Hühnchen. Bei diesem Duft knurrten Winry, die seit dem Morgen viel und weit gelaufen war, sowie Lettie, die die ganze Zeit auf dem Bergweg gespielt hatte, gleichzeitig der Magen.

»Vielleicht holt sich Darish auch gerade was zu essen.«

»Stimmt. Oder er hat auf der Suche nach einem Automail-Hersteller einen guten Mechaniker gefunden und ist jetzt mit ihm ins Gespräch vertieft.«

»Das wäre gut!«

Sie sahen sich an und lachten fröhlich. Plötzlich sagte eine Stimme schräg hinter ihnen: »Da versteht sich aber jemand gut!«

Es war Garfiel, der aus einer Seitenstraße aufgetaucht war, in der sich Großhandelsgeschäfte für Ersatzteile aneinanderreihten. Vielleicht war er auf dem Heimweg vom Einkaufen, denn er hielt zwei große Papiertüten im Arm.

»Garfiel!«

»Willkommen zurück, Winry! Danke für alles! Guten Abend, Lettie, lang ist's her!«

»Guten Abend, H... Herr ... Garfiel?«, sagte Lettie zögerlich, als sie so angelächelt wurde, doch ihre Worte klangen ziemlich unsicher. Der Mann war zu jung, um ihn Onkel zu nennen, aber die Kleine schien auch zu spüren, dass die Bezeichnung ›Herr‹ nicht ganz zutraf.

Garfiels Augen funkelten. »Sag ›Schwester‹ zu mir!«

»Schwester!«

Garfiel hatte den Zeigefinger erhoben und ihn geschüttelt, während er Lettie mit Nachdruck korrigierte, was diese mit ernster Miene wiederholte. Wie sich der große Mann und das kleine Mädchen gegenseitig ansahen und miteinander sprachen, war sowohl komisch als auch herzerwärmend.

»Bist du auf dem Heimweg vom Einkaufen?«

»Genauso ist es!«

Der Mann beugte sich hinunter und zeigte Lettie die nagelneuen Schrauben und die im Licht der Straßenlaternen glänzenden Metallstäbe in seinen Armen. Vielleicht hatte er sämtliche Teile nachgekauft, die ausgegangen waren, denn er war schwer beladen.

Winry nahm Garfiel eine der Papiertüten ab und mit Lettie in ihrer Mitte liefen sie los.

»Tut mir leid, dass du wegen mir die Einkäufe erledigen musstest.«

»Das macht doch nichts! Da es ohnehin gerade Teile gab, die ich mir direkt selbst anschauen wollte, habe ich Henrik gebeten, gegen Abend zu kommen, und ihm den Laden anvertraut.«

»Wenn wir wieder zurück sind, helfe ich auch gleich mit, okay?«, sagte Winry in fröhlichem Ton. Dass ihr Chef selbst die Einkäufe erledigt hatte, obwohl es eigentlich ihre Aufgabe war, hätte die Winry von heute Morgen wohl für unentschuldbar gehalten und sie wäre deprimiert gewesen. Doch jetzt blickte sie mit einem positiven Gefühl nach vorn und wollte nach ihrer Rückkehr dafür umso härter arbeiten.

»Ich mache auch mit!«

»Wirklich, Lettie? Damit hilfst du uns sehr!«

»Ein Glück ...! Du guckst wieder wie früher!« Garfiel sah Winry an, die lächelnd mit Lettie redete, und schmunzelte.

»Was?«

Als seine Schülerin einen Moment lang blinzelte, weil sie ihn nicht verstanden hatte, machte Garfiel ein übertrieben betrübtes Gesicht. »Heute Morgen hast du sooo düüüster dreingeblickt! Hab mir Sorgen gemacht!«

Der Mann zog dramatisch seine ordentlichen schmalen Augenbrauen zusammen und spitzte die Lippen auf übersteigerte Weise, um schwermütig auszusehen.

Daraufhin zog Winry entschuldigend den Kopf ein.

»Tut mir leid ...« Peinlich berührt, dass sie sich heute Morgen zweifelsohne in einem so erbärmlichen Zustand gezeigt hatte, lief Winry rot an.

Da löste sich Garfiels sorgfältig aufgesetzter Gesichtsausdruck und er grinste breit. »Das ist schon okay, wenn du nur wieder munter bist ... Ah, ich muss dir aber was sagen.« Als ob er sich an etwas erinnerte, blickte Garfiel Winry aus dem Augenwinkel an, während er die Tüte, die wegen ihres Gewichts heruntergerutscht war, wieder richtete. »Ich weiß es jetzt. Du hast gestern Abend in Mandels Laden und auch in anderen Geschäften die Teile für das neue Elektrowerkzeug selbst bezahlt, stimmt's? Das brauchtest du nicht. Wie viel hast du eigentlich ausgegeben? Fordere das Geld ordentlich zurück, ja?«, tadelte Garfiel das Mädchen. Vielleicht hatte er beim Einkaufen davon erfahren.

»Aber … Es war meine Schuld, dass du Umstände hattest, also wollte ich wenigstens für die kaputten Teile aufkommen …«, erwiderte Winry zögerlich, woraufhin Garfiel ratlos einen tiefen und lauten Seufzer von sich gab.

Kurz bevor sie beim Laden ankamen, blieb er stehen und setzte zum Sprechen an: »Hör mal, Winry …«

Um sich anzuhören, was er ihr mitteilen wollte, wandte Winry sich ihm zu. Doch was das genau war, erfuhr sie nicht mehr, denn bevor der Mann weitersprechen konnte, kam aus dem Atelier Garfiel eine Stimme, die nicht zu überhören war.

»Ja, genau, er sah aus wie dieser Harling-Junge! Jedenfalls ist er in einem dieser üblen Läden in was verwickelt worden!«, sagte ein Mann, der aus dem Atelier nach draußen trat und dessen rechte Hand aus einer Automail bestand. Anscheinend war er auf dem Heimweg von einer Wartung, denn ihm folgte Henrik, um sich zu verabschieden.

»Wenn das stimmt, wär das echt übel! Hoffentlich hast du dich nur verguckt. Tja, pass gut auf dich auf!«, erwiderte Henrik und ging in den Laden zurück.

In diesem beunruhigenden Gespräch war ein bekannter Name gefallen.

»Harling … Kann das sein?«

Winry lief reflexartig los, stürzte ins Atelier Garfiel und drang auf Henrik ein, der sich gerade an den Arbeitstisch gesetzt hatte: »Henrik, worum ging's bei dem Gespräch eben?!«

»Wah, hab ich mich erschreckt!« Henrik, der mit der Wartung für den nächsten Kunden beginnen wollte, hatte fast den

Schraubenzieher fallen lassen, als er so plötzlich mit lauter Stimme von der Seite angesprochen worden war. »Bist du's, Winry? Erschreck mich doch nicht sooo! Übrigens hat es mich letzte Nacht gerettet, dass du den Zylinder gefunden hast …«

»Nein, ich muss mich für gestern entschuldigen! Aber erzähl mir bitte lieber, worüber ihr gesprochen habt! Dass da ein Kind war, das Darish ähnlich sah …!« Sie wollte sich ordentlich und in Ruhe für letzte Nacht entschuldigen, doch sie hatte ein ungutes Gefühl in ihrer Brust und daher unwillkürlich zu schnell gesprochen.

Da Winry es eilig zu haben schien, erklärte ihr Henrik, wenn auch zögernd, auf ihre Frage hin: »Ja, so war's! Der Herr, der gerade da war, sagte, dass er im selben Hotel wohnt wie Darish. Und er will gegen Abend gesehen haben, wie ein ähnlich aussehendes Kind im Westbezirk auf brutale Kundenfänger getroffen ist …«

In dem Moment nickte ein Kunde, der auf einer Bank in der Ecke gesessen und alles mit angehört hatte, kräftig. »Jaja, dieses Kind! Ich hab's auch gesehen! Ihr meint doch diesen etwas vorlauten Jungen mit der Krücke? Er war von zwielichtigen Typen umzingelt.«

»Das war bestimmt Darish …«

Angesichts der Situation, die sie nicht leugnen konnte, auch wenn sie es gewollt hätte, war Winry halb erstarrt. In dieser Stadt gab es zwar jede Menge Menschen, die an Krücken gingen, doch die Wahrscheinlichkeit lag hoch, dass jemand, der Darish bereits getroffen hatte, ihn auf der Straße wiedererkennen würde. Außerdem war der Junge trotz der späten Stunde noch nicht wieder zurück im Hotel gewesen.

»Was ist denn los, Winry?«

Lettie, die zusammen mit Garfiel nun den Laden betreten hatte, bemerkte die ernste Stimmung in der Werkstatt und sah ängstlich von einem Erwachsenen zum nächsten.

»Es ist alles in Ordnung!«

Winry setzte hastig ein Lächeln auf und hob das Mädchen hoch. Bis ihre Mutter zurückkam, hatte die Kleine nur noch Darish. Sie wollte ihr die Geschichte von eben nicht erzählen und ihr damit einen Schock versetzen. Auch die anderen Kunden, die die Geschwister nicht gut kannten, schwiegen, als machten sie sich eine vage Vorstellung davon, was los war.

»Ach ja, wir müssen dein Knie desinfizieren!«

Die junge Mechanikerin ließ sich ihre Unruhe nicht anmerken, brachte Lettie ins kleine Hinterzimmer und setzte sie auf eine Holzkiste. Sie bremste ihre Ungeduld, holte den Erste-Hilfe-Kasten aus dem Regal neben der Treppe, entfernte das blutgetränkte Pflaster und trug Desinfektionsmittel auf, während sie darauf achtete, dem Kind nicht wehzutun. Als sie am Ende ein neues Pflaster draufklebte, setzte sie der irgendwie verängstigten Lettie gegenüber ein beherztes Lächeln auf.

»Ich mach kurz noch meine Arbeit in der Werkstatt fertig. Würdest du so lange hier warten?«

»Ja ... Okay«, antwortete das Mädchen und nickte. Nachdem ihr Winry aus dem Regal weißes Papier und Buntstifte zum Malen gegeben hatte, damit ihr beim Warten nicht langweilig wurde, kehrte sie auf der Stelle ins Atelier zurück.

»Was machen wir bloß ...?«

In der Werkstatt hatte Garfiel gerade den Telefonhörer aufgelegt.

»Garfiel, Darish ist …« Die Tür, die das kleine Zimmer und das Atelier verband, hatte Winry fest geschlossen und trat schnellen Schrittes zu Garfiel. Beim Versorgen von Letties Verletzung hatte sie zwar gehofft, dass sich die Situation schnell zum Guten wenden würde oder Darish gar nicht erst in Schwierigkeiten geraten wäre, doch die Atmosphäre in der Werkstatt war unverändert schwer.

»Sehr wahrscheinlich ist er einem der skrupellosen Händler in die Fänge geraten. Ich habe gerade die Militärpolizei verständigt, aber … Ob sie angesichts der Umstände eine Streife dorthin schicken, scheint mir fraglich.«

Garfiel legte eine Hand an seine Wange und stieß einen Seufzer aus. Solange nicht wirklich etwas passierte, was gegen das Gesetz verstieß, unternahmen öffentliche Apparate kaum etwas. Wenn sie sich nicht auf die Militärpolizei verlassen konnten, blieb ihnen nichts anderes übrig, als selbst tätig zu werden.

»Dann gehe ich hin!« Ohne das leiseste Zögern machte Winry auf dem Absatz kehrt. Doch Henrik packte sie schnell am Arm.

»Warte! Diese Kerle scheinen mir von der Sorte, bei der man nie weiß, was sie tun werden! Es ist besser, sich nicht mit ihnen anzulegen!«

Winry, die wirklich nicht gedacht hätte, dass jemand sie aufhalten würde, drehte sich erstaunt um. Henrik, sonst ein sympathisch aussehender junger Mann, machte ein strenges Gesicht.

»Er ist doch nicht mehr dein Kunde, oder? Wenn sich bei deinen eigenen Kunden fremde Kerle einmischen, kannst du dich auch offen beschweren, aber wenn du jetzt hingehst, kann es sein, dass sie dich und diesen Laden hier der Geschäftsschädigung bezichtigen werden!«, warnte Henrik das Mädchen beherrscht. Mehrere Stammkunden, die noch im Laden saßen, brummten zustimmend. »Außerdem können wir nicht ausschließen, dass der Gegner Komplizen hat. Das ist zu gefährlich.«

»Selbst wenn sie ihre Kunden mit Gewalt anwerben, werden wir nichts tun können, weil sie wahrscheinlich so agieren, dass sie gerade noch so nicht mit dem Gesetz in Konflikt kommen. Daran können wir nichts ändern.«

Anders als Winry, die vor gar nicht so langer Zeit erst nach Rush Valley gekommen war, wussten die Stammkunden und Henrik sehr wohl, wie Furcht einflößend diese skrupellosen Geschäftemacher waren und wie viel Ärger man sich einhandelte, wenn man es mit ihnen zu tun bekam. Trotz ihrer Mienen, die verrieten, dass es hart für sie war, hielten sie Winry auf, die zu Darishs Rettung eilen wollte.

»Aber ...!« Während Henrik noch immer ihren Arm festhielt, sah Winry flehentlich zu Garfiel hoch, der neben ihr stand. Doch obwohl auch er ein gequältes Gesicht machte, schüttelte er den Kopf und stellte sich ebenso wie die anderen gegen Winrys Entschluss.

»Ich will zwar irgendwas für ihn tun, aber ich kann dich nicht an einen gefährlichen Ort gehen lassen! Lass uns direkt zur Wache der Militärpolizei laufen und sie bitten, eine Patrouille in den Westbezirk zu schicken. Vielleicht bringt das mehr, als dort anzurufen.«

»Aber wenn Darish eine Prothesenfertigung oder ein Kaufvertrag aufgezwungen werden, ehe sie die Streife schicken ...!«

Winry stellte sich vor, dass so etwas wirklich passierte, und ihr wurde schwer ums Herz. Dem Jungen war schon eine schlechte Beinprothese verpasst worden, wegen der er seit Jahren litt. Wenn er hier erneut einem üblen Laden in die Fänge geriet, würde er diesmal vielleicht wirklich ein schweres Trauma davontragen, das nicht wiedergutzumachen wäre.

Aufgeregt wollte Winry weiterdiskutieren, doch Henrik zog sie am Arm. »Was willst du denn machen, wenn du so wie jetzt versuchst, das alles allein zu schultern, aber scheiterst oder dich verletzt?!« Der junge Mann sah dem Mädchen unverwandt in die Augen. Sein Griff war kräftig, fast schon grob.

»...!« Bei diesen Worten zuckte Winry erschrocken zusammen – gerade erst hatte sie eine Reihe von Fehlschlägen erlebt.

»Winry ...«, sagte plötzlich ein dünnes Stimmchen. Überrascht sah sie, dass Lettie ihren Kopf durch die Hintertür gesteckt hatte. »Sag mal, wo ist Darish denn?«

Wahrscheinlich hatte das Mädchen eine vage Ahnung, dass seinem großen Bruder etwas zugestoßen war. Anscheinend hatte sie auch keine Freude am Bildermalen finden können, denn das Blatt in ihren Händen war nach wie vor leer.

Als Henrik peinlich berührt Winrys Arm losließ, näherte sie sich der Kleinen und blickte fest in ihre besorgten Augen.

Der Vater, der arbeitete, um eine Automail zu bezahlen, und die Mutter, die zwischen dem weit entfernten Haus der Familie und Rush Valley pendelte. Lettie, die bei ihrem großen Bruder bleiben wollte, selbst wenn er wütend auf sie war. Sie alle sehnten den Tag herbei, an dem Darish mit fröhlich lachendem Gesicht unbeschwert herumrennen würde.

»Es ist alles in Ordnung. Ich gehe gleich los, um ihn abzuholen, also warte bitte hier, okay?«, flüsterte Winry und wandte sich dann zum Atelier hin. Garfiel hatte wieder den Telefonhörer gehoben und sprach mit der Militärpolizei. Henrik betrachtete besorgt die Mädchen.

Der jungen Mechanikerin war vollkommen klar, dass die Ratschläge der beiden zu ihrem Besten waren. Trotzdem konnte sie Darish nicht einfach im Stich lassen. »Den Namen von Garfiels Atelier werde ich unter keinen Umständen preisgeben. Doch falls übel aussehende Leute auf der Suche nach mir vorbeikommen sollten, sagt bitte, dass ich mit dem Laden hier nichts zu tun habe.«

Winry durfte das Atelier auf keinen Fall in Schwierigkeiten bringen, insbesondere wenn sie aus eigener Entscheidung heraus aufbrach.

Nachdem das Mädchen die beiden Männer für den Fall der Fälle vorgewarnt hatte, schlüpfte es zwischen ihnen hindurch und stürzte nach draußen. »Es tut mir leid …! Aber ich gehe!«

»Winry!«

»Winry, Liebes!«

Die Stimmen von Garfiel und den anderen erreichten das davonlaufende Mädchen zwar, doch es war felsenfest entschlossen und drehte sich nicht mehr um.

Kapitel 6

Wünsche für die Zukunft

Zu dieser Zeit sah in einem großen Lagerhaus in einer Hintergasse eine Gruppe von Männern auf Darish hinab, der sich extrem unwohl fühlte.

»Hey, ich möchte so langsam mal in meine Unterkunft zurück …«, sagte er zu dem Mann, der vor ihm stand, nachdem er den Blick von den Automails gelöst hatte, die er sich zwangsweise hatte ansehen müssen.

»Nein, nein, schau dich noch ein wenig um!«, entgegnete ein hellhäutiger dünner Mann mit einem übertriebenen Lächeln, woraufhin ein Mann mit Glatze, der auf einer Holzkiste an der Seite saß und eine Automail polierte, einstimmte: »Genau! Wie wär's mit so einer? Die hab ich gebaut und dafür Material mit Carbonanteil verwendet. Halt sie mal! Ist ziemlich leicht, oder?«

Die frisch polierte Automail wurde in seinen Schoß gelegt und Darish blieb nichts anderes übrig, als sie in die Hand zu nehmen.

Seit seiner Ankunft hier waren bereits mehrere Stunden vergangen. In dieser ganzen Zeit hatte er sich Automails oder Konstruktionszeichnungen von Produkten, die die Männer angeblich in der Vergangenheit hergestellt hatten, ansehen müssen.

In dem großen Lagerhaus, das sie anscheinend als Laden benutzten, befanden sich an der Stelle, wo Darish saß, unter anderem Arbeitstische und Metallplatten, wie bei einer Automail-Werkstatt nicht anders zu erwarten. Doch der Rest des Raumes lag größtenteils im Halbdunkeln und war offenbar nur mit vor lauter Kram überladenen Regalen sowie jeder Menge Holzkisten vollgestopft.

Von dort holten die Männer ständig alle möglichen Dinge und zeigten sie Darish – sie ließen ihn nicht einfach so nach Hause gehen.

»Da fällt mir was ein ... Haben wir nicht noch gebrauchte Prothesen, die gerade erst reingekommen sind?«

»Ja, stimmt, stimmt!«

»Der Kunde ist extra zu uns gekommen! Da müssen wir ihm alles zeigen! Wo haben wir die noch mal hingetan?«

Der Hellhäutige und der Glatzkopf wechselten einen bedeutungsvollen Blick, umrundeten die Theke und gingen in den hinteren Teil des Lagerhauses, wobei ihnen immer noch ein gekünsteltes Lächeln im Gesicht klebte.

Als die Gestalten der beiden Männer zwischen den hoch aufgestapelten Holzkisten verschwanden, seufzte Darish. Sie hatten zwar gesagt, dass er extra gekommen sei, doch in Wahrheit war er mit einem Arm um die Schultern halb mit Gewalt hierhergebracht worden.

Darish blickte zu dem kleinen Fenster hinauf, das sich oben am Gebäude befand, und bemerkte, dass es draußen inzwischen komplett dunkel war.

»Ob Lettie schon wieder zurück ist ...?«

Auf der Suche nach seiner kleinen Schwester, die einfach nicht zurückkam, war Darish nach draußen gegangen und umhergelaufen. Dabei war er den brutalen Kundenwerbern in die Fänge gegangen.

Seine Mutter hatte ihn immer davor gewarnt, in die Hintergassen zu gehen, und auch er selbst achtete darauf, sich dubios anmutenden Geschäften nicht zu nähern. Doch er hatte sich daran erinnert, wie Lettie mal mit jemandem aneinandergeraten und von Winry gerettet worden war, und für den Fall der Fälle, dass das kleine Mädchen sich dorthin verirrt haben könnte, hatte er dann doch auch die Hintergassen durchkämmt.

In dieser Straße, in der sich nur einige kleine baufällige Läden sowie Lagerhäuser aneinanderreihten, war nicht nur von Lettie, sondern auch von zwielichtigen Gestalten keine Spur gewesen. Mit seinem Gefühl der Erleichterung hatte anscheinend gleichzeitig seine Wachsamkeit nachgelassen; schließlich war es draußen ja auch noch hell gewesen. Unwillkürlich hatte er sich in den Anblick einer Automail vertieft, die vor einem Lagerhaus ausgestellt war.

Das Automail-Bein stand nachlässig auf einer Holzkiste und besaß ein schnittiges Design. Wenn er es an seinem Bein befestigte, wäre Darish sicherlich in der Lage, damit überallhin zu rennen. So wie mit seinem früheren Bein, mit dem er schneller als jeder andere herbeigelaufen kam, wenn seine kleine Schwester in Schwierigkeiten steckte.

Als ob sie das Bein, auf das er so stolz war, ablehnen wollten, hatten sich die Worte von Ärzten und Mechanikern wie spitze Dornen tief in seine Brust gebohrt. Dornen, die er nach wie vor nicht herausziehen konnte. Doch würde ihn die schöne Automail, die vor seinen Augen ausgestellt war und ihn den Schmerz der Dornen vergessen ließ, nicht noch höher bringen, noch weiter? Sie weckte diese schwache Hoffnung in ihm.

Genau in dem Augenblick wurde Darish in vertrautem Ton von mehreren Männern angesprochen, die aus dem Lagerhaus gekommen waren, und ehe er sich's versah, wurde er im Ladeninneren auf einen Stuhl gesetzt.

Der Hellhäutige beschäftigte sich mit dem Jungen und lobpreiste auf ziemlich aufdringliche Weise seine Automails. Welche Wünsche der Kunde auch habe, in diesem Laden könne man ihnen entsprechen – das war seine übermäßige und übertriebene Werbung.

»Soo, danke für deine Geduld!«

Die Männer, die sich nach hinten zurückgezogen hatten, kamen mit einem Automail-Bein und einer gewöhnlichen Prothese in den Armen zurück.

»Sieh mal, diese Prothese hier wäre ein guter Kauf! Sie scheint dir auch von der Größe her zu passen. Wollen wir sie probeweise mal dranmachen?«

»Nein danke, es ist schon spät heute und Geld habe ich auch keins«, lehnte Darish fest ab.

Wegen der freundschaftlichen Haltung und Redeweise der Männer fragte er sich ganz am Anfang noch, ob es sich hierbei um ein gewissenhaftes Geschäft handelte. Doch in dem endlosen Verkaufsgespräch, bei dem sich die Schlinge um seinen Hals immer weiter zuzog, kehrte seine Wachsamkeit zurück. Wenn er hier eine Prothese anlegte, würde ihm das möglicherweise als Kauf ausgelegt und Geld gefordert werden.

»Hey, hey, jetzt sei mal nicht so! Außerdem, was das Geld angeht ... Niemand sagt, dass du sofort bezahlen musst!«, erwiderte der Glatzkopf freundlich lächelnd, als er Darishs misstrauischen Blick empfing. Doch dieses Lächeln war wirklich unangenehm, als ob der Mann den Jungen und dessen Vorsicht verachtete.

»Ich kann mich allein nicht entscheiden.«

Ohne seine Wachsamkeit zu lockern, spannte Darish seinen Körper an. Da klatschte der Hellhäutige theatralisch in die Hände. »Ah, richtig! Deine Mutter ist ja nach Hause gefahren! Doch wenn du dich als Sohn für etwas entscheidest, werden deine Eltern auch nichts dagegen haben!«

Die Informationen, die sie in den vergangenen Stunden wortgewandt aus dem Jungen herausbekommen hatten, verwendeten die Männer nun gegen ihn und lenkten das Gespräch in die gewünschte Richtung. Schließlich waren sie Profis darin, Leute auf geschickte Weise zu täuschen und ihnen Geld abzuknöpfen. Da war ihnen ein erst zwölfjähriger Junge gewiss nicht gewachsen.

Unter dem durchs Fenster hereinfallenden Mondlicht machte Darish sich Gedanken um Lettie und wurde unruhig. Den Hotelschlüssel hatte er bei sich. Sagte sie an der Rezeption Bescheid, so würde ihr aufgeschlossen werden, doch er glaubte nicht, dass die kleine Lettie so etwas konnte. Und überhaupt – wenn sie sich verlaufen hatte, musste er am besten sofort los, um sie zu suchen.

»Ich muss nach Hause!«

Halb mit Gewalt brach Darish das Gespräch ab und erhob sich.

Im selben Augenblick veränderten sich die Blicke der Männer.

»Warte! Wir sind noch nicht fertig, oder?«

Ohne sich darum zu kümmern, nahm Darish die an einer Holzkiste lehnende Krücke und wollte den Laden verlassen. Doch als er sich zum Ausgang wandte, versperrte ihm dort plötzlich ein stämmiger Mann den Weg. Die Stahltür, die bei seiner Ankunft ganz sicher offen gestanden hatte, war jetzt fest verschlossen.

Angesichts des muskelbepackten Riesenmannes, der sich breitbeinig aufgebaut hatte, wich Darish unwillkürlich einen Schritt zurück. Der Hellhäutige legte ihm eine Hand auf die Schulter.

»Hör mal, lass unseren Mechaniker dir doch eine Automail bauen! Selbst wenn du jetzt nicht zahlen kannst, ist das kein Thema, wenn du dieses Papier unterschreibst!«

Die Stimme schien den Jungen einzulullen und Darish wurde ein Blatt Papier unter die Nase gehalten. Auch ohne es gründlich zu lesen, war klar, dass es sich dabei um einen Vertrag handelte, mit dem die Männer später eine hohe Geldsumme fordern konnten.

Die Worte des Mannes, die ihm von hinten ins Ohr geflüstert wurden, rissen ihn mit und ließen ihm keine Wahl: »Oder kaufst du stattdessen ein gebrauchtes Modell? Da fällt mir ein, wie wär's mit dem Bein, das wir vor dem Laden ausgestellt haben? Schön daran ist zwar nur die Außenseite, weil innen alles verrostet ist, aber für dich machen wir's wieder flott!«

»...!« Darish duckte sich unter der Hand des Mannes auf seiner Schulter weg und schüttelte sie ab. »Lasst mich in Ruhe! Ihr habt am Anfang doch gesagt, dass es okay ist, wenn ich euch nur zuhöre!«, brüllte er nach besten Kräften bluffend und gab sich Mühe zu verhindern, dass seine Stimme zitterte. Da hörte er Unglaubliches: »Dann zahl wenigstens die Beratungsgebühren!«

»Was ...?« Bei dieser absolut grundlosen Forderung drehte sich Darish erstaunt um.

»Schließlich haben wir viele Stunden investiert und dich beraten, oder? Eine Aufwandsentschädigung wäre nur recht und billig!«

Die Miene des Hellhäutigen, bis eben noch ein Lächeln, hatte sich zu etwas Bedrohlichem gewandelt.

Dass die Männer derart hartnäckig an Darish festhielten, lag daran, dass das eine ihrer Methoden war, Geld aus ihm herauszupressen. Die Leute, die in dem Vorhaben nach Rush Valley kamen, eine Automail zu kaufen, stellten größtenteils viel Geld bereit. Es war zwar ungewiss, ob die Unterschrift eines Zwölfjährigen rechtlich Bestand hätte, doch es wäre für die Männer ein Leichtes, mit dem Schriftstück als Vorwand seine Eltern eloquent und geschickt herumzukriegen.

»Beratungsgebühren ... Gibt's denn so was ... Gibt's so was überhaupt?«, murmelte Darish. Der Hellhäutige zuckte mit den Schultern. Als wäre das ein Signal, brüllte der Riesenmann los, der den Ausgang versperrte: »Was quatschst du da jetzt noch?! Haben wir dir etwa nicht lang und breit alles erklärt, weil du die vorn ausgestellte Automail so sehnsüchtig angeguckt hast?! Und du sagst, dass du nach Hause gehst, ohne auch nur die Beratungsgebühr zu bezahlen?! Willst du uns verarschen?!«

Sein Brüllen dröhnte so laut durch die große Lagerhalle, dass Darish sich an seiner Krücke festklammerte und den Kopf einzog. Als es sich legte, wedelte der Hellhäutige mit dem Papier und seufzte gekünstelt.

»Wenn wir mit dir reden, kommen wir nicht voran. Lassen wir deine Eltern bezahlen. In welchem Hotel seid ihr abgestiegen? Sie werden morgen oder übermorgen bestimmt zurückkommen, also warten wir bis dahin. Tja, und für die Tage, die wir warten müssen, werden wir den Rechnungsbetrag entsprechend erhöhen.«

»Was ...?!«

Darish wollte seinen Eltern, die sich für ihn so abmühten, keine Umstände bereiten. Der Junge war so erschüttert, dass er den schlagfertigen Männern nichts erwidern konnte. Er stand nur mit gesenktem Kopf da; die Hand, die seine Krücke festhielt, zitterte.

Da klatschte der Hellhäutige in die Hände, als ob ihm etwas eingefallen wäre. »Hör mal, uns reicht auch ein Versprechen, dass du deine Automail bei uns anfertigen lässt! Dafür werden wir dir einen Kredit gewähren! Den kannst du dann später nach und nach abstottern!«

»Aber ...« Langsam hob Darish den Kopf. Wenn es eine Methode gab, wie er die Sache zu Ende bringen konnte, ohne seine Eltern zu belasten, würde er darauf eingehen.

Der Hellhäutige hatte wieder sein Lächeln aufgesetzt und streckte dem Jungen das Dokument entgegen, mit dem er herumgespielt hatte. Bedrückt betrachtete Darish geistesabwesend das Papier, das jetzt hier und da zerknickt war.

Sein Kopf, der vom langen Festhalten völlig erschöpft war, dachte, dass es doch besser wäre, einen Mechaniker von hier zu nehmen, als Geld für Beratungsgebühren oder sonst was Unverständliches zu bezahlen.

Schwerfällig nahm Darish das Dokument entgegen. Vor seinem inneren Auge tauchte Winrys Gestalt auf. Nur sie hatte gesagt, dass sie sein Leid verstehe und dass sie ihm zuhören wolle. Das hatte ihn glücklich gemacht, sodass er sich entschlossen hatte, diesmal von sich aus auf sie zuzugehen. Deshalb war er gestern Abend auch im Atelier Garfiel gewesen.

Doch weil Winry ein Werkzeug kaputt gemacht hatte oder so, war sie unterwegs gewesen, um Ersatzteile zu kaufen. Obwohl er bis spät am Abend gewartet hatte, war sie nicht zurückgekommen. Darish hatte vage verstanden, dass sie in dem Bestreben, ihre Kunden nach ihren Wünschen und Sorgen zu fragen, wohl in Zeitnot geraten war, was zu Problemen bei der Arbeit geführt hatte. Sich in dieser Stadt, in der sich Massen von Menschen aufhielten, für jeden einzelnen Kunden voll einzusetzen, würde immer zu irgendjemandes Lasten gehen. Es war falsch von ihm gewesen zu erwarten, dass Mechaniker, die eigentlich Ingenieure waren, seine Gefühle verstanden. Als Darish das begriffen hatte, hatte er Garfiel gesagt, dass er wohl nicht mehr in den Laden kommen werde.

Am nächsten Morgen begrüßten ihn wie immer der Schmerz in seinem Bein, mit dem er nicht laufen konnte, und Letties besorgter Blick. Seine Wut, gegen die er nichts ausrichten konnte, fand kein anderes Ventil als seine kleine Schwester.

Komme, was wolle, dachte Darish und setzte den Stift auf das Dokument.

In der Sekunde klopfte jemand an die Stahltür.

»Ein Kunde ...? Scheint ein dringender Auftrag zu sein, wenn er um diese Zeit kommt.« Der Glatzkopf, der Darishs Hände beobachtete, grinste. Bei einem Eilauftrag konnten sie mit einer entsprechenden Entlohnung rechnen.

»Vielleicht. Der zweite Fang heute. Hey, mach die Tür auf!«

»Yo.«

Mit einem Rattern öffnete der Riese grinsend die schwere Tür.

»Verzeihen Sie die Störung!« Winry schob ihren Kopf durch die Tür, die auf einer Schiene zur Seite geschoben worden war. Ihre großen Augen, die an einen klaren Himmel erinnerten, trafen die von Darish, der soeben dabei war zu unterschreiben. »Darish! Endlich hab ich dich gefunden!«

»Winry ...?«

In dem Moment, in dem sie ins Ladeninnere geblickt hatte, hatte die junge Mechanikerin sofort begriffen, was der Junge gerade gedachte zu tun. Bevor der Koloss sie aufhalten konnte, stürmte sie ins Lagerhaus, riss Darish den Vertrag aus der Hand und zerfetzte ihn.

»So was darfst du niemals unterschreiben!«

»Was soll das?!«

Die Männer zeigten unverhohlen ihre Wut. Schließlich hatten sie kurz davorgestanden, eine große Menge Geld in die Hände zu bekommen. Und nun wurden sie von einer kleinen Göre gestört, die plötzlich hereingeplatzt kam. Ruhig bleiben konnten sie da nicht.

»Was willst du denn?! Hör auf, uns bei der Arbeit zu behindern!«

»Arbeit? Wohl eher Einschüchterung!« Winry warf die Papierschnipsel weg und stellte sich mutig den Männern entgegen, Darish mit ihrem Körper abschirmend.

»Woher hast du gewusst, dass ich hier bin?«, fragte dieser und griff verwirrt nach der weißen Kleidung des Mädchens vor seinen Augen. Winrys Auftauchen überraschte ihn, da er nicht geglaubt hatte, sie noch einmal zu treffen.

»Ich hab von einem Kunden bei uns im Laden gehört, dass du hier in der Gegend bedrängt worden bist!«

»Bist du deshalb gekommen?«

»Ich kann doch nicht einfach tatenlos zusehen, wenn du vielleicht wieder ein Bein angedreht bekommst, das nicht passt!«, antwortete Winry und ließ die Männer nicht aus den Augen. Sie hatte zwar keine Angst, weil ihr Wunsch, Darish zu helfen, stärker war, doch angesichts der Gegner mit deren einschüchternder Aura flaute ihre Anspannung nicht ab.

»Die kommt einfach hier rein und beschuldigt uns auf üble Weise der Bedrohung!«

»Das stimmt ja auch! Habt ihr nicht gerade eben versucht, Darish zu zwingen, einen Vertrag zu unterschreiben?!«, entgegnete Winry den Männern, die ihr böse Blicke zuwarfen. Dann versuchte sie, mit Darish im Schlepptau nach draußen zu gehen.

»Du Mistgöre!«

Sie handelte so schnell, dass die Männer einen Augenblick zu spät reagierten.

»So, Darish, gehen wir nach Hause!«

Winry stützte den Jungen an einer Stelle, wo sie die Krücke nicht behinderte, und lief mit ihm an ihrer Seite an den Männern vorbei. Sie mussten das Weite suchen, solange die Kerle, die mit ihrem Betrug gescheitert waren, noch zögerten, ob sie sich an dieser Stelle zurückziehen sollten oder nicht.

Doch da erhob der Hüne, der in der Nähe der Tür gestanden hatte, seine Stimme: »Hm ...? Bist du nicht das Luder, das mich neulich bei der Arbeit gestört hat?!«

»Sie ...!« Auch Winry erinnerte sich an sein Gesicht. Er war der Mann vom Straßenstand, der sich über Lettie aufgeregt hatte, die sich verlaufen hatte.

»Du dummes Ding! Bist du gekommen, um uns wieder zu stören?! Hört mal, die ist Mechanikerin!«, erklärte der Mann, der gesehen hatte, wie schnell das Mädchen eine Automail reparierte, seinen Kumpanen.

»Diese Rotznase? Bist du wirklich Mechanikerin? Wo arbeitest du?«, fragte sie der Hellhäutige argwöhnisch. Er hatte es mit einem Mädchen zu tun. Um einen Laden zu haben, war sie zu jung, und sowieso hatte er Zweifel, dass sie Mechanikerin war.

»...« Natürlich gab ihm Winry keine Antwort, sondern ignorierte ihn und versuchte, durch die Tür nach draußen zu gelangen.

Anscheinend hatte der Hellhäutige von Anfang an keine Antwort erwartet, denn er schnalzte nur mit der Zunge und warf dem Riesen schnell einen bedeutungsvollen Blick zu.

»Ah!« Bevor Winry, die ihn bemerkt hatte, durch die schwere Tür gelangen konnte, wurde sie von dessen Pranken verschlossen. »Es bringt euch doch nichts, uns einzusperren!« Energisch wandte das Mädchen sich um und blickte den Hellhäutigen und den Glatzkopf hinter ihr scharf an.

Zwar trieben die Männer ihre anvisierte Beute bis zum Schluss in die Enge, doch sie ließen normalerweise davon ab, wenn sie erkannten, dass es ihnen misslang. Sonst würden sie beim nächsten Mal ins Visier der Militärpolizei geraten.

»Wir lassen so was normalerweise immer durchgehen, aber wenn jemand petzt, dass der Bengel lange Zeit von uns festgehalten worden war, sitzen wir in der Tinte!«

Der Hellhäutige zuckte mit den Schultern und verzog die Lippen zu einem Grinsen.

»Ihr wisst ganz genau, dass man euch gar nichts könnte, selbst wenn wir euch verpfeifen würden, weil es nicht genug Beweise gibt!«

»Früher wär das so gewesen. Aber die Militärpolizei hat uns schon aufm Kieker. Da war mal so'n Typ, der uns gestört hat. Der hat rumgenervt, also haben wir in seinem Laden ein kleines Feuer gelegt! Deshalb verdächtigen uns die Bullen! Wenn es wieder ein Problem gibt, werden wir entweder aus der Stadt gekickt oder, wenn's schlecht läuft, passiert das.« Er streckte die Arme nach vorn aus und hielt die Handgelenke aneinander, als würden ihm Handschellen angelegt.

»Ein Feuer ...? Wart ihr das damals?!«

Während sie von den Männern umzingelt wurden, erinnerte Winry sich an die Geschichte mit dem Laden, der angezündet und sogar in die Geschäftsaufgabe getrieben worden war. Bei den Tätern handelte es sich also um diese Kerle hier.

Auch wenn sie ihr Wort gaben, den Polizisten nichts zu sagen, würden ihnen die Männer, die Gefahr liefen, verhaftet zu werden, wohl nicht glauben. Dass sie sogar zugegeben hatten, in der Vergangenheit einen Laden angesteckt zu haben, deutete darauf hin, dass sie nicht vorhatten, Winry und Darish sicher von dannen ziehen zu lassen.

Wie zum Beweis streckte der Glatzkopf die Arme aus, packte Darish äußerst brutal an den Schultern, zog ihn mit Gewalt nach hinten und drückte ihn auf einen Stuhl.

»Aua ...!« Darish stöhnte vor Schmerz auf, weil sein Beinstumpf an der Prothese rieb.

»Es ist zwar bedauerlich, diese Stadt zu verlassen, weil man hier so schön Kohle scheffelt, aber was soll's. Das Fluchtgeld werden wir uns von diesem Knirps holen und dann setzen wir uns in eine andere Stadt ab ... Hey, fesselt die beiden aneinander!«

Als der Hellhäutige sein Kinn ruckartig hochriss, schubste der Riesenmann Winry von hinten. »Hey, geh du auch da rüber!«

»Kyaaa!«

Das Mädchen wurde von der Tür fort in Richtung Ladeninneres gestoßen und stürzte in einen Stapel Holzkisten neben Darish. Obwohl sie sofort eine Abwehrhaltung eingenommen hatte, prellte sie sich heftig den Oberkörper und stöhnte eine Weile vor Schmerz.

Nachdem sie sich zwischen den zerstörten Kisten etwas später wieder halbwegs aufgerichtet hatte, standen der Hellhäutige und der Glatzkopf ein Stück weit entfernt und hatten ihnen den Rücken zugewandt – ganz so, als würden sie nicht glauben, dass die Kinder fliehen könnten. Flüsternd besprachen sie etwas miteinander. Beunruhigende Formulierungen wie ›Geiseln‹ oder ›den Eltern androhen‹ drangen kaum hörbar an das Ohr des Mädchens.

Der Hüne auf der anderen Seite hatte sich vor eine Kiste in der Nähe der Tür gesetzt und versuchte, aus deren Innerem ein Seil zu ziehen, um Darish und Winry zu fesseln.

Das Mädchen ließ seinen Blick blitzschnell ins Halbdunkel des Lagerhauses schnellen, das sich hinter ihnen ausbreitete.

Ihre einzige Chance war jetzt.

Sie packte Darish, der auf dem Stuhl saß und besorgt zu ihr hinabschaute, so am Arm, dass die Männer es nicht bemerkten. »Und los!«, sagte sie flüsternd, aber kraftvoll. Dann legte sie sich Darishs Arm um die Schultern.

»Ah, hey!«

Als der Hellhäutige auf die Geräusche aufmerksam wurde und seine Stimme erhob, waren Winry und Darish schon über den Berg aus zerstörten Kisten gestiegen und hinten im Lagerhaus verschwunden.

Das Lagerhaus war größer als erwartet. Was die Männer als Laden benutzten, war anscheinend nur ein ganz kleiner Teil im Eingangsbereich. Dort hingen zwar Lampen von der Decke, doch deren Licht reichte nicht bis hinten in den Raum. Vielleicht hatte ein Großhandelsunternehmen die Halle früher zur Lagerung von irgendwelchen Bauteilen genutzt, denn dicht an dicht standen überall Metallregale von mehr als zwei Metern Höhe. Vor allem vorn wurden sie von Prothesen und Automail-Elementen eingenommen, dahinter lagen noch immer andere Dinge wie Kabel und Geräteteile in den Fächern.

Winry, die Darish mit ihrer Schulter stützte, lief die schmalen Gänge zwischen den Regalen entlang. Dabei versuchte sie so gut es ging, ihre Schrittgeräusche zu dämpfen. Gab es in der Reihe der Regale eine Lücke, bogen sie mal nach rechts und mal nach links ab. Während die Männer sich abmühten, über die zerstörten Kisten zu klettern, bewegten sich die beiden ins stockfinstere Innere des Raumes, um den Deckenflutern des Ladens zu entkommen.

»Verflucht, wo sind sie hin?! Hey, was ist mit dem Licht?«

»Die Beleuchtung hinten ist kaputt!«

»Lasst sie nicht entkommen!«

Die Männer, die die Holzkisten hinter sich gelassen hatten, nahmen die Verfolgung der Kinder auf. Doch da es in der Lagerhalle so dunkel war und die Regale die Sicht behinderten, konnten sie sie nicht entdecken – sie hörten nur das nervtötende Geräusch ihrer Schuhe.

Winry, die sich ausschließlich auf das durch die Fenster hereinfallende Mondlicht verließ, lief weiter und umklammerte Darishs Arm.

»Hinten war doch eine kleine Tür …« Sie hatte sich auf die Information verlassen, dass Darish in einer Straße im Westbezirk von Kundenwerbern bedrängt worden war, und war in der Umgebung umhergerannt. Dabei war sie auch an der Rückseite eines Gebäudes vorbeigekommen, bei dem es sich um diese Lagerhalle handeln musste. Winry hatte sich daran erinnert, dass es da in einem Wandabschnitt, an den weggeworfenes Material gelehnt worden war, so etwas wie eine Tür gegeben hatte.

»Hey, was ist da hinten?« Die Stimme des Hellhäutigen erklang von gar nicht so weit weg. Hastig ging das Mädchen in die Hocke und unterdrückte seinen Atem.

»Mist, hier sind sie nicht!«

»Glauben die etwa, dass die Militärpolizei oder sonst jemand kommt, solange die sich verstecken?!«

»Wenn die Göre die Polizei gerufen hat, bevor sie hierhergekommen ist, sieht's nicht gut für uns aus!« Auch die wütende Stimme des Glatzkopfs war von woanders zu hören. Ihre Schritte wurden noch wilder.

Wenn sie vom Hinterausgang gewusst hätten, wären die Kerle wohl als Erstes dorthin gerannt, um ihn zu versperren, doch sie liefen auf ihrer Suche nur aufs Geratewohl umher. Vielleicht konnte man die Hintertür nicht benutzen oder sie existierte gar nicht. Doch Winry vertrieb diesen Gedanken aus ihrem Kopf und preschte weiter.

Nach einer Weile war zu hören, dass die Tür an der Ladenfront aufging. Gedämpfte Stimmen von anderen Männern als den bisherigen erklangen.

»Hey, was ist da los?«

»Sieht übel aus! Helft ihnen!«

Anscheinend hatten die Männer weitere Komplizen geholt, denn das Geräusch von Schritten, die das Innere des Lagerhauses absuchten, nahm mit einem Schlag zu.

»Was machen wir nur ...?«

Winry, die nicht daran gedacht hatte, dass für die Männer Verstärkung kommen würde, überlegte krampfhaft und wischte sich unbewusst den Schweiß von der Handfläche an ihrer Kleidung ab.

Zwischen den Regalen sah sie eine Lampe mit einer Kerze darin nach hinten ins Lagerhaus kommen. Vielleicht standen ihnen andere Beleuchtungsmittel nicht zur Verfügung, denn weitere

Lichter kamen nicht dazu. Das war ein Glück für Darish und Winry, doch das änderte nichts an ihrer verschlechterten Situation, dass sie jetzt noch mehr Gegnern entkommen mussten.

»Wenn das so weitergeht, werden wir beide entdeckt ... Darish, du hast deine Krücke doch noch, oder?«

»Ja, schon, aber ...«

Das Mädchen blieb stehen, setzte Darish auf den Boden, steckte auf allen vieren kriechend den Kopf in die umliegenden Regale und durchsuchte sie nach Teilen.

»Wenn ich das ... und das benutze ...«

Sobald sie durch Umhertasten das Gesuchte gefunden hatte, setzte sie sich neben Darish und griff nach seiner Krücke. In der Hand hielt sie ein Teil, an dem eine Gummipufferplatte befestigt war, sowie ein Kabel. Von Ersterem löste sie nur die Pufferplatte ab, setzte sie dort an, wo die Krücke mit dem Boden in Berührung kam, und befestigte sie, indem sie sie mit dem Kabel umwickelte. Mit dem Gummi würde es selbst beim Laufen keine Geräusche geben und die Männer würden sie nicht bemerken.

Winry gab Darish die Krücke zurück.

»Hier. Damit kannst du auch heimlich allein fliehen, wenn sie mich schnappen sollten«, sagte sie, setzte ihre Hände erneut auf den Boden und durchsuchte die Regale. »Dann noch eine Waffe, eine Waffe ... Irgendwas muss ich doch vorbereiten ...«

»...« Hinter dem Mädchen, das auf der Suche nach einem Gegenstand war, mit dem es kämpfen könnte, falls sie entdeckt wurden, strich Darish über die Krücke, die auf seinem Schoß lag. »Warum bist du mir zu Hilfe gekommen ...?«, fragte er flüsternd.

Selbst im Halbdunkel war zu erkennen, wie Winry der Schweiß im Gesicht glänzte. Darish war ihr zwar schon dankbar, dass sie umhergerannt war, um dieses Lagerhaus zu finden, und auch jetzt alles versuchte, um ihnen die Flucht zu ermöglichen. Doch als er daran dachte, dass er ihr wegen seines Handicaps ein Klotz am Bein war, schlug seine Dankbarkeit in Frust um.

»Es stimmt schon, dass ich mir wünschen würde, dass du meine Gefühle besser verstehst. Aber wenn du auf diese Weise die Probleme deiner Kunden alle auf dich lädst, wird deine Last nur größer. Gestern warst du bis spät noch unterwegs ...«

»Ah, da fällt mir ein, dass ich mich deswegen noch gar nicht entschuldigt habe! Tut mir wirklich leid! Wo du doch extra gekommen bist ...«

Winry hatte Darishs wie bei einem Monolog gemurmelten Worten zwar zugehört, während sie weitersuchte, hob nun aber das Gesicht und entschuldigte sich aufrichtig.

Daraufhin schüttelte der Junge heftig den Kopf.

»Das ist doch jetzt egal! Ich hab dich gefragt, warum du versuchst, mich zu retten, obwohl du weißt, dass du dir selbst dadurch noch mehr aufbürdest? Du als Mechanikerin musst doch gar nicht so weit gehen, oder? Was machst du, wenn du verletzt wirst?«

Darish sah zu seinem schmerzenden Bein hinunter. Die unpassende, mit Gurten festgemachte Prothese glänzte stumpf im schwachen Mondlicht, das durch das Fenster hereinfiel. Der Schmerz, inzwischen ein fester Bestandteil seines Alltags, war noch schlimmer geworden, seit er vorhin brutal auf den Stuhl gezwängt worden war – von seinem gequälten Herzen ganz zu schweigen.

Von allem, was Darish umgab, war er vollkommen erschöpft.

»Die Kerle wollen nur Geld. Wenn ich zu ihnen rausgehe, werden sie mir schon nichts Schlimmes tun. Vorhin haben mir ihre Erklärungen sogar so weit eingeleuchtet, dass ich unterschreiben wollte. Selbst wenn es mehr oder weniger teurer ist als in anderen Läden – wär's nicht trotzdem okay, solange ich mich auf einen Mechaniker festlege, der mir die Automail baut? *Du* hast doch wohl auch gesagt, dass es besser ist, sich schnell zu entscheiden! Lass es jetzt gut sein!« Obwohl das gar nicht seine Absicht gewesen war, war sein Ton unbemerkt vorwurfsvoll geworden. Winrys Augen weiteten sich überrascht. Doch Darish konnte nicht aufhören: »Oder vielleicht versuchst du mir auch nur zu sagen, dass ich auf Teufel komm raus eine von dir gebaute Automail nehmen soll, was? Wenn das so ist, dann mach, was du willst – ein Bein ist wie das andere!«

Der Junge warf die Krücke weg und stützte sich ein wenig grob am Regal hinter ihm ab. Als er seinen Blick nach unten wandte, sah er aus dem Augenwinkel Winrys weiße Hand zittern. Obwohl sie im Bewusstsein der Gefahr gekommen war, hatte sie von demjenigen, den sie zu retten versuchte, sicher nicht erwartet, derartige Anschuldigungen zu hören. Das hatte sie bestimmt verletzt. Darish fragte sich, ob er sie zum Weinen gebracht hatte, und hob ein wenig das Gesicht, um nachzusehen. Doch was im nächsten Augenblick in sein Blickfeld kam, war eine weiße Handfläche.

»Du Blödmann!« Zusammen mit der leisen und doch scharfen Stimme schlug Winrys Hand gegen Darishs Gesicht.

»...!« Der Junge hielt sich überrascht die Wange.

Winry hatte die Lippen fest aufeinandergepresst und ihre Schultern zitterten.

Darish wusste nicht, dass sie sich entschlossen hatte, weder bei ihrem Streben nach Wissen noch bei den Gesprächen mit ihren Kunden Kompromisse einzugehen. Doch noch ehe sie ihm das vermittelte, war sie im Augenblick wegen seiner Behauptungen schlicht und ergreifend wütend auf ihn.

»Natürlich sind weder deine jetzige Prothese noch die künstlichen Gliedmaßen, die du in Zukunft vielleicht bekommen wirst, genauso wie dein ursprüngliches Bein. Aber ... auch wenn sie anders sind, so ändert das nichts daran, dass sie zu einem Teil deines Körpers werden!« Winry blickte dem Jungen fest in die Augen. »Wir Mechaniker können Beinprothesen und Rehas erklären und in Absprache mit den Kunden noch bessere Gliedmaßen bauen. Aber es ist *deine* Aufgabe, dir diese Erklärungen anzuhören, dich zu entscheiden, welche Prothese es sein soll, und dann den Mechaniker zu wählen, dem du dich anvertrauen willst. Du darfst es nicht über dich ergehen lassen, sondern musst dir selbst Gedanken machen. Sag nicht, dass es dir egal ist! Es ist *dein* wertvoller Körper, *dein* wertvolles Bein ...!«

Aus Winry sprach eine solche Wut, dass ihr Tränen in den Augen standen.

»Hm ...? Ich hab hier grad Stimmen gehört!«

Ganz in ihrer Nähe scharrten Schuhe über den Boden. Winry und Darish sahen sich gegenseitig an und erstarrten vor Schreck.

Auf der anderen Seite des Regals direkt neben ihnen bewegte sich ein Schatten. Dieser schimpfte, dass die Kinder immer noch nicht gefunden waren, und zündete ein Feuerzeug an. Es war der Riese, der sich mit geschärftem Blick forschend in der Umgebung umsah, die das flackernde Licht erhellte. Doch vielleicht war zu wenig Öl im Feuerzeug, denn es ging gleich wieder aus.

»Mist, so kann man ja nix finden!«

Mit der Hand, die das Feuerzeug hielt, schlug der Hüne genervt mit voller Wucht gegen das Regal neben ihm. Durch den Aufprall erzitterte es so heftig, dass einzelne Dinge daraus auf Winry und Darish hinabregneten. Eine etwa faustgroße Flasche fiel auf die Stelle, an der Darishs Knie auf die Prothese traf.

»Autsch ...!«

Vielleicht hatte er das Stöhnen gehört, das dem Jungen entschlüpft war, denn der Riesenmann steckte den Kopf ins Regal und betrachtete den Durchgang auf der anderen Seite.

»Da bist du ja!«, sagte er, als er den zwischen den Regalen sitzenden Darish bemerkte. Er steckte einen Arm durch den Spalt und versuchte, ihn zu fassen zu bekommen.

»Darish! Heeey!« Kurz entschlossen drückte Winry mit beiden Händen gegen das Regal, in das der Koloss seinen Kopf gesteckt hatte.

»Waaah!«

Langsam fiel das Regal auf den Mann zu. Zwar wurde es vom Regal auf der gegenüberliegenden Seite aufgehalten, sodass er nicht zerquetscht wurde, doch er hatte keine Chance, die Waren aufzuhalten, die wie eine Lawine auf ihn hinabstürzten.

»Verflucht! Hey, die Gören sind beide hier! Komm mal jemand her!«

Der zwischen den Regalen eingeklemmte Riese wand sich und schlug mit beiden Händen um sich. Winry hob blitzschnell das Feuerzeug vom Boden auf und packte den noch immer sitzenden Darish an den Schultern.

»Lass uns gehen, wir sind bestimmt bald an der Rückseite des Lagerhauses!«

»Hab ich dir nicht gesagt, dass du's lassen sollst?!«

»Jetzt hör schon auf und komm!«

Nachdem sie Darish mit Müh und Not auf die Beine gezerrt hatte, ging sie weiter, den Jungen hinter sich herziehend. Während er sich weigerte, auch nur zu stehen, hatten die anderen Männer ihren gestürzten Kameraden gefunden und begonnen, Radau zu machen.

»Wo waren sie?!«

»Hey, such du da drüben!«

Würden sie umzingelt, hätten sie gegen die Männer keine Chance. Winry nutzte die günstige Gelegenheit, dass diese eifrig versuchten, dem Koloss zu helfen, und beeilte sich, möglichst lautlos vorwärtszukommen.

Irgendwann versperrte ihnen verschwommen eine dunkle Wand den Weg. Winry ließ Darishs Arm erst einmal los und suchte den Hinterausgang, indem sie ihre Hand über die sich rau anfühlende Wand gleiten ließ und sich dabei seitlich weiterbewegte.

»Sie muss ganz sicher hier irgendwo ...« Ihre Fingerspitzen blieben an etwas hängen, das sich wie ein kaltes Brett anfühlte. Das Mädchen holte das Feuerzeug heraus, das in seiner Tasche steckte, schirmte es mit der Hand und seinem Körper ab und zündete es für wenige Sekunden an. Kurz tauchte im orangefarbenen Licht eine Tür auf, die mit Brettern vernagelt war. »Hier ist es!«

Winry steckte ihre Hand durch einen Spalt dazwischen und packte den Türknauf. Nachdem sie mehrmals daran gerüttelt hatte, gaben die Bretter nach und die Tür öffnete sich ein winziges bisschen. Der Lichtstrahl einer Straßenlaterne fiel durch den Spalt ins Innere des Lagerhauses. Das Mädchen legte mehr Kraft in seine Finger und der Streifen aus Licht wurde breiter. Allmählich wurde ihre Umgebung heller.

»Darish, hilf mir! Wenn wir sie noch ein wenig weiter aufbekommen, passen wir best…« Doch was in Winrys Blickfeld geriet, als sie sich umdrehte, war der Hellhäutige, der hinter Darish stand. Bevor sie noch etwas sagen konnte, stieß dieser den Jungen nach vorn. Durch den Stoß löste sich die Prothese und rollte scheppernd über den Boden.

»Waaah!«

»Darish!«

»Hab ich euch endlich!« Blitzschnell packte der Mann Winry, die zu Darish laufen wollte, am Arm, drehte ihn hinter ihren Rücken und drückte sie gegen die Wand. »Wie wär's mit einem Deal? Wollt ihr diesmal nicht einfach sagen, dass der Knirps zu uns in den Laden gekommen ist, weil er selbst es so gewollt hatte? Wenn ihr das tut, haben wir eine Ausrede für die Militärpolizei und sind fein raus. Zum Dank vermitteln wir euch an einen erstklassigen Mechaniker!«

Grinsend zog der Mann ein neues Vertragsformular aus seiner Tasche und warf es Darish hin, der auf den Boden gestürzt war.

»Darish, tu das nicht!« Winry starrte den Mann, der sie noch immer festhielt, über die Schulter hinweg böse an. »Schämt ihr euch nicht, auf diese Weise Leute zu betrügen und ihnen Gewalt anzutun?!«

»Kein bisschen!«

Bei seinem Ton, der schon fast sagen wollte, dass die Betrogenen selbst schuld seien, bebte Winrys Faust vor Wut, während sie noch immer mit ihrer Wange gegen die Wand gepresst wurde.

»...«

Darish hingegen betrachtete vom Boden aus den höhnisch lachenden Hellhäutigen und die vor Wut heftig schnaubende Winry so, als würde ihn das Ganze nichts angehen. Sein künstliches Bein war so weit weggerollt, dass er nicht herankam. Er drehte den Kopf und betrachtete sein rechtes Bein, an dem nun keine Prothese befestigt war. Der Stumpf wies einen blauschwarzen Bluterguss auf.

Er hatte sie lange Zeit mit sich herumgetragen – den Schmerz im Bein, die Gefühle, die niemand verstand, das Leid, das sich in seinem Inneren eingenistet hatte.

Darish nahm den Vertrag, der vor seinen Augen auf dem Boden lag, in die Hand, hob die Krücke auf, die zur Seite gefallen war, stützte sich daran ab und stand mit Müh und Not auf einem Bein auf.

Der Mann grinste hämisch. »So ist's richtig! Hör besser auf, dich sinnlos zu widersetzen!«

»Darish!«

Winry leistete dem Mann, der sie am Arm festhielt, erbitterten Widerstand. Schwankend machte Darish erst einen, dann einen zweiten Schritt auf sie zu.

Die Worte, die er vorhin von der jungen Mechanikerin zu hören bekommen hatte, waren für ihn hart und schmerzhaft gewesen. Doch er hatte bemerkt, dass in ihren Augen Tränen geglitzert hatten. Sie hatte seinetwegen geweint. Und jetzt war sie an seiner statt ehrlich wütend, weil er kurz davorstand, über den Tisch gezogen zu werden.

Er konnte das nicht als unnötige Fürsorge bezeichnen. Sowohl ihre Worte als auch ihre Handlungen waren aufrichtig gewesen. Sie hatte aus tiefstem Herzen mit ihm mitgefühlt.

Darish warf dem Mann einen vernichtenden Blick zu und rammte ihn mit seinem Körper. »Lass Winry los!«

»Was zum ...?!« Der Hellhäutige, der überzeugt gewesen war, Darish komplett in der Hand zu haben, kassierte einen Überraschungsangriff, kam dabei ordentlich ins Straucheln und landete mit dem Hinterteil auf dem Boden. »Du, du Rotzbengel ...!«

»Meinen Mechaniker suche ich mir selbst aus! Als ob ich mein wertvolles Bein Kerlen wie euch anvertrauen würde!«, erklärte Darish entschieden. Er zerknüllte das Vertragsformular in seiner Hand und warf es dem Mann zu. Dann nahm er Winry, die zusammen mit diesem in die Knie gegangen war, an den Armen. »Winry, lass uns schnell von hier verschwinden!«

Trotz seiner eigenen instabilen Lage, da er seinen Körper mit der Krücke stützen musste, zog er das Mädchen mit einem Ruck an den Armen hoch. Darish war unerwartet stark.

»Darish …«

Beim Anblick des Jungen, der alles, was er bisher mit sich herumgetragen hatte – Kummer, Frust, Gefühlsausbrüche – davongeschleudert und entschlossen den Kopf gehoben hatte, fühlte sich Winry glücklich.

Doch die Gefahr war noch nicht vorüber. Bevor Darish und Winry, die aufgestanden war, das Brett von der vernagelten Tür lösen konnten, sprang der Mann mit wutverzerrtem Gesicht auf und brüllte: »Da ihr es so gewollt habt, werden auch wir uns wie Bösewichte verhalten!«

Er packte Winry und Darish von hinten an den Schultern und riss sie mit voller Wucht um. Die beiden, die mit vereinten Kräften an dem locker gewordenen Brett gerüttelt hatten, um so schnell wie möglich zu fliehen, konnten es nicht verhindern, nach hinten geworfen zu werden, und rollten über den Boden.

»Kyaaah!«

Ohne Darish, der mitsamt der Krücke gestürzt war und sich nicht mehr rühren konnte, auch nur eines Blickes zu würdigen, drückte der Mann Winry auf den Boden, hob ihren Arm und drehte ihn ihr mit brutaler Kraft auf den Rücken.

»Hör auf!« Verzweifelt streckte Darish den Arm aus und packte den Mann an dessen Kleidung. Doch egal, wie stark er mit seinem liegenden, in der Bewegungsfreiheit eingeschränkten Körper auch an ihm zog, er rührte sich keinen Millimeter.

Winrys Arm gab ein unangenehmes, knirschendes Geräusch von sich. Auf das Kommende gefasst, kniff sie fest die Augen zusammen.

Im nächsten Moment hallte ein fürchterliches *Badonk!* durch die Lagerhalle.

»…?«

Den Schmerz oder auch den Schock eines gebrochenen Armes spürte Winry nicht. Als sie ihre Augen einen Spaltbreit öffnete, fiel das Licht der Straßenlaterne groß auf den Boden vor ihr.

»Winry, Liebes, wo bist du?! Ist alles okay bei dir?!«

Derjenige, der die Tür mitsamt den festgenagelten Brettern imposant eingetreten und sich gewaltsam Zutritt verschafft hatte, war niemand anders als Garfiel.

In der Sekunde, in der er feststellte, dass Winry auf den Boden gedrückt worden war und nun wirklich nicht mehr viel fehlte, damit ihr Arm brach, nahmen seine Augen einen entschlossenen Ausdruck an. »Lass die Finger von meiner wertvollen Schülerin, du Mistkerl!«

Die schwere Faust des Meisters, der wie ein Windstoß angelaufen kam, traf den Mann am Kinn. Zeit, um wieder Haltung anzunehmen, hatte der Hellhäutige nicht, denn er segelte durch die Luft. Dabei nahm er einige Regale mit und krachte schließlich höchst spektakulär auf den Boden des Lagerhauses.

»Meine Güte, jetzt habe ich unfreiwillig solche unfeinen Ausdrücke verwendet!«

Während Garfiel den Mann, der ihn zu dieser unerwünschten Ausdrucksweise verleitet hatte, mit einem vorwurfsvollen Seitenblick fixierte, hielt er einen Finger unter den Hosenträger, der ihm von der Schulter gerutscht war, und ließ ihn mit einem Klatschen an die richtige Position schnellen.

»Garfiel, wieso bist du ...«

Garfiel lächelte und streckte Winry, die vor lauter Überraschung sogar vergessen hatte sich aufzurichten, und dem gestürzten Darish die Hand entgegen.

»Ich kann meine Schülerin in einer Krise doch nicht allein lassen! Außerdem hat Rush Valley keine Zukunft, wenn wir zulassen, dass sich skrupellose Geschäftemacher hier breitmachen! Wir haben alle gemeinsam beschlossen, uns zusammenzutun und sie zu vertreiben, ohne vor Geschäftsschädigung Angst zu haben.«

»Alle?«, fragte Winry zurück.

Vor ihren Augen liefen Henrik und Weis vorbei.

»Fangt sie und übergebt sie der Militärpolizei!«

»Ooh!«

Durch den zerstörten Hintereingang kamen der Reihe nach die Mechanikerkollegen herein, die alle in Rush Valley arbeiteten. Doch nicht nur sie – sogar Kunden mit Automails oder gewöhnlichen Prothesen waren unter ihnen.

»Verd... Sind das nicht die Stadtmechaniker?!«

»Euch ist doch hoffentlich klar, was euch hierfür blüht?!«

Aus Verdruss drohten die windigen Geschäftsmänner den vielen Mechanikern, die ins Lagerhaus gestürzt kamen. Doch da diese entschieden hatten, Drohungen nicht nachzugeben, gingen sie ohne zu zögern mit erhobenen Fäusten auf die Männer los. Im Nu verwandelte sich das Geschehen im Inneren des Lagerhauses in einen waschechten Tumult.

»Soo, nimm Darish mit und geh nach draußen, solange ihr noch nicht mit drinsteckt!«, drängte Garfiel seine Schülerin.

Leichtfüßig und elegant wich er dem glatzköpfigen Mann aus, der mit den Fäusten auf ihn losgegangen war, und verpasste ihm anschließend einen Handkantenschlag auf den Hinterkopf.

»Mach ich!«

Winry legte sich Darishs Arm um den Hals und wandte sich dem offenen Hinterausgang zu, während sie ihn stützte.

Sobald sie die brüllenden Stimmen und den Krach umstürzender Regale hinter sich ließen und nach draußen traten, empfing weiches Mondlicht die beiden. Nach all dem Herumirren im Halbdunkel des Lagerhauses fühlte sich dieses Licht sehr sanft und in ihren Augen hell an.

An den Mauern und der Tür in der schmalen Hintergasse lehnte überall verschiedenes Material. Weiter hinten waren Anwohner und Militärpolizisten zu sehen, die wegen des Aufruhrs zusammengekommen waren.

»Ah!« Darish stolperte über ein Stück Holz, das am Boden lag.

»Darish!«

Der Junge verlor das Gleichgewicht und Winry, die ihn am rechten Arm gehalten hatte, stemmte die Füße in den Boden, schaffte es aber nicht, ihn vollends abzustützen. Darish schwankte bedrohlich und schien gleich mit seiner freien linken Hand auf dem Boden aufzukommen.

»...!«

Doch da packte eine kleine Hand seinen Arm.

»Lettie ...« Das kleine Mädchen hatte den Arm ihres Bruders mit ihrem ganzen Körper umfasst und ihn dadurch gestützt. »Darish! Halt dich an mir fest!«

Lettie hatte gespürt, dass ihr großer Bruder in Schwierigkeiten geraten sein musste, und war Garfiel und den anderen gefolgt. In ihren Händen, die Darishs Körper fest abstützten, lag die Entschlossenheit, auf gar keinen Fall loszulassen – was auch immer er zu ihr sagen mochte.

Als der Tumult vorüber war, wurden die Betreiber des Ladens vor die Lagerhalle gebracht, wo die Militärpolizisten sie mit leichten Stößen vorwärtstrieben und abführten. Winry und Darish beobachteten das Geschehen von etwas weiter weg. Lettie schmiegte sich eng an ihren großen Bruder.

Übel aussehende Männer sondierten hinter den Gaffern die Lage ihrer festgenommenen Kollegen und machten sich dann heimlich davon. Für viele von denen, die Mechaniker und Kunden eingeschüchtert und ordentlich abgesahnt hatten, würde es von nun an schwierig werden, ihre Arbeit fortzusetzen. In dieser Voraussicht würden sie die Stadt wahrscheinlich verlassen.

»Wäre gut, wenn es jetzt etwas weniger zwielichtige Geschäftsleute geben würde!«

»Stimmt!«

Der Wind, der im Mondlicht kaum merklich wehte, kühlte Winry und Darish auf angenehme Weise die verschwitzte Haut.

Der Junge blickte von den Männern, die von den Militärpolizisten abgeführt wurden, schräg hinunter zu Lettie. Obwohl es ihr bestimmt nicht leichtfiel, den Körper ihres viel größeren Bruders zu stützen, gab sie keinen Klagelaut von sich. Darish strich seiner kleinen Schwester sanft übers Haar.

»Danke!«

Verblüfft hob Lettie den Kopf. Darish erwiderte ihren Blick und lächelte, woraufhin sie auch übers ganze Gesicht strahlte. Als er sie nach langer Zeit so aus der Nähe lachen sah, spürte er erneut, wie oft er sie in den vergangenen zwei Jahren zum Weinen gebracht hatte. *Was hab ich nur getan ...?*, fragte er sich selbst.

An der Ladenfront halfen mehrere der Leute mit Automails und einige Mechaniker den Militärpolizisten und trugen bergeweise Dokumente nach draußen, die als Beweis für gewaltsames Kundenwerben und illegale Aktivitäten dienen sollten.

So wie diese Leute, die mit Automails an ihren Körpern herbeigeeilt waren, wollte auch er als großer Bruder als Erster da sein, wenn seine kleine Schwester ihn brauchte. Das empfand Darish ganz stark.

»Winry. Ich werde mir darüber Gedanken machen, was mit meinem Bein in Zukunft passieren soll«, sagte er zu der jungen Mechanikerin, die neben ihm stand. Sein Gesicht war erfüllt von Erwartungen und Hoffnungen an das neue Bein. Von dessen Strahlen geblendet, kniff Winry die Augen etwas zusammen. »Und dann ...« Auch wenn es ihm ein wenig schwerfiel, das auszusprechen, fuhr Darish fort: »... wollte ich dich fragen, ob du mich wegen meines Beines beraten würdest.«

Winry blinzelte kurz überrascht, doch dann wurde ihr Lächeln immer breiter.

»Aber natürlich! Wenn du das willst, gerne!«, stimmte sie sofort zu. Es freute sie sehr, dass sie als Mechanikerin noch einmal für Darish zuständig sein durfte, und ihr wurde warm in der

Brust. Sie wollte die Gefühle ihrer Kunden wichtig nehmen und zugleich ihre Techniken verfeinern. Voller Dank für Darish, der sie auf all dies aufmerksam gemacht hatte, brannte Winry darauf, ihr Bestes zu geben. Bei dem Gedanken sah sie zum Mond empor und holte tief Luft, wie um ihre Haltung zu straffen. Doch diesen Atemzug unterbrach sie mittendrin.

»Was ist denn los?« Darish, der neben ihr stand, bemerkte ihre angespannte Miene und blickte ihr in die Augen.

»Vielleicht werde ich ja gefeuert …«

»Wieso denn das?« Bei Winrys unerwarteter Ansage machte Darish ein argwöhnisches Gesicht.

»Na ja …« Winry stockte. Obwohl sie davor gewarnt worden war, sich zwielichtigen Geschäftsleuten zu nähern, hatte sie ihr Versprechen gebrochen. Und auch an diesem Tag hatte sie die anderen, die sie mit Nachdruck von dieser Rettungsaktion hatten abhalten wollen, abgeschüttelt und war mit Gewalt losgestürmt. Ganz abgesehen von dem vorigen Problem, dass sie bei der Arbeit Fehler gemacht und allen Umstände bereitet hatte, wäre es nur natürlich, wenn eine Angestellte gefeuert würde, die die Anweisungen ihres Chefs nicht befolgte.

»Was mach ich nur …?«, murmelte sie.

In diesem Augenblick erschien eine Hand und verpasste ihr einen Klaps auf den Hinterkopf.

»Was redest du denn da?«

Plötzlich stand direkt hinter dem Mädchen Garfiel. Er schaute zu ihr hinunter und richtete mit der Fingerspitze geschickt den durch das Handgemenge mit den Männern in Unordnung geratenen Schwung seiner Koteletten. »Gerade vorhin habe ich doch wohl auch gesagt, dass du meine wertvolle Schülerin bist!«

»Aber ich … halte mich nicht an Anweisungen, mache diverse Fehler …«

Um die Mechanikerin zu werden, die sie sein wollte, würden ihr wohl noch viele Fehler passieren – den vom vorigen Abend eingeschlossen. Vielleicht würde Garfiel wegen ihr dann jedes Mal in Schwierigkeiten geraten.

»Hör mal, vorhin vor dem Laden habe ich versucht, vernünftig mit dir zu reden«, sagte Garfiel und legte seufzend eine Hand an seine Hüfte. »Für die Ersatzteile, die du bezahlt hast, gilt das auch: Du brauchst dir nicht so viele unnötige Gedanken zu machen. Du bist die Schülerin, ich bin der Meister. Es ist doch wohl selbstverständlich, dass ich deine Fehler nachbessere!«

Mit der Fingerspitze stupste Garfiel leicht die Nasenspitze des Mädchens an, das zu ihm hochsah. »Zweifelsohne wirst du in Zukunft auch noch größere Fehler machen und bestimmt wird so einiges passieren, was du allein nicht wirst schultern können. Doch ich habe dich mit allem Drum und Dran akzeptiert, weil ich das als Gesamtpaket sehe. Mach dir deshalb überhaupt keine Sorgen mehr! Lerne in dieser Stadt so viel, wie du magst, mach Fehler und wachse!«

»Garfiel …«

Bei den unendlich freundlichen, grenzenlos großherzigen Worten ihres Meisters waren Winrys Augen langsam feucht geworden. Jetzt spürte sie wirklich aus ganzem Herzen, was Dominic gemeint hatte, als er sagte, dass sie nicht allein sei. Viele Leute hielten ihre schützende Hand über sie und ihre Großzügigkeit hatte solche Ausmaße, dass sie selbst nicht herankam.

»Außerdem gibt es viele Kunden, die sich eine Mechanikerin wie dich wünschen!«

Als Garfiel mit seinem großen Körper zur Seite trat, erblickte das Mädchen hinter ihm die Kunden, die sich am Handgemenge beteiligt hatten.

»Hallo, Winry!« Es war Pollack, der die Hand gehoben hatte. »Vorhin hab ich ’nen Schlag abbekommen und jetzt ist mein Auge wieder komisch! Kannst du mal ’nen Blick drauf werfen? Ich mag deine sorgfältigen Wartungen!«

»Ich möchte dich auch um was bitten! Hier scheint sich ’ne Schraube gelöst zu haben!« Ein anderer Mann, der neben Pollack stand, hob ein völlig verdrecktes Automail-Bein hoch: »Ich will die Außenverkleidung bei Gelegenheit leichter machen lassen. Würdest du mich beraten?«

»Das klingt gut! Vielleicht sollte ich Winrys Geschick auch mal testen? Der Mechaniker in dem Laden, zu dem ich immer gehe, hat zwar viel drauf, aber wir haben einfach nicht den gleichen Geschmack!« Während die Männer ihre kaputten Automails hochhielten oder auf sie zeigten, brachte einer nach dem anderen seine Wünsche vor.

»Hör mal. Mach keine leichtfertigen Bemerkungen über Kündigungen und so, sondern kümmere dich verantwortungsbewusst um die Reparatur der Automails, die bei dem Aufruhr heute kaputtgegangen sind! Okay?«, sagte Garfiel mit einem Lächeln und zwinkerte Winry zu.

»Mach ich!«

Die Kunden, die sich wünschten, dass Winry und Garfiel, der mit großem Herzen über sie wachte, sich ihre Prothesen ansahen. Winry empfand ihnen gegenüber tiefen Dank und wischte die Tränen weg, die ihr in die Augen getreten waren. Munter lief sie zu den Männern herüber.

Epilog

Einige Tage später nutzte Winry die Mittagspause, um in ihrem Zimmer einen Brief zu schreiben.

›Liebe Oma, geht es dir gut? Ich bin jeden Tag munter bei der Arbeit …‹

Auf dem Briefpapier formten sich ordentliche, freudvolle Wörter, die von ihrem erfüllten Alltag berichteten. »Ähm, ach ja, stimmt!«

›Seit letzter Woche steht fest, dass ich für zehn Kunden zuständig sein werde …‹

An dieser Stelle unterbrach Winry das Schreiben, stützte den Kopf auf ihre Hand und blickte zum endlos weiten Himmel vor ihrem Fenster hoch.

»Die zwei geben jetzt bestimmt auch irgendwo ihr Bestes …«

Ein sanfter, frischer Wind wehte durch das Fenster herein und ließ Winrys Haar sanft tanzen. Er blätterte raschelnd durch die Konstruktionszeichnungen, die ausgebreitet neben dem Brief lagen.

Um Verwechslungen auszuschließen, stand am Rand eines jeden Blattes der Entwürfe, von denen so einige übereinandergestapelt waren, der Name des Benutzers geschrieben. Auf einer der Zeichnungen mit detaillierten Zahlenwerten und fein gezogenen Linien stand Darishs Name. Auf einem anderen Blatt war Edwards Name zu lesen.

Für diese Entwürfe setzte Winry unermüdlich ihre Anstrengungen fort und sie sprachen Bände darüber, wie sehr sich das Mädchen weiterentwickelt hatte.

»Winry, Lieebees!« Aus dem Erdgeschoss tönte Garfiels Stimme herauf, die das Ende der Mittagspause verkündete. »Darish ist hier, zusammen mit seiner Familie! Er sagt, dass ihr den Entwurf besprechen wollt!«

»Ich komme!«

Winry räumte den angefangenen Brief in eine Schublade und zog aus dem Stapel mit den Zeichnungen die für Darish heraus.

Sie musste ihre Hände weiterbewegen und durfte auf keinen Fall stehen bleiben. So würde sie mit Sicherheit irgendwann ihr Ziel erreichen können. Die junge Mechanikerin glaubte daran und erhob sich.

»Bin gleich daaa!«

Ihre fröhliche, hoffnungsvolle Antwort verschmolz mit dem durchsichtigen blauen Himmel.

Ein neuer Anfang – Ende

Alphonse hat es schwer!

Würde man fragen, welches der Organe innerhalb der Organisationen, die dem über das gesamte Staatsgebiet von Amestris herrschenden Central Command direkt unterstehen, besondere Erwähnung finden sollte, gäbe es niemanden, der die Antwort nicht wüsste.

Ein klarer Kopf, der eine schwierige Prüfung besteht. Eine ethische Positionierung und Loyalität, die einer strengen psychologischen Begutachtung standhalten. Außergewöhnliches Können, komplexe Strukturen zusammenzusetzen und augenblicklich eine präzise Transmutation durchzuführen. Dieser Rang wird nur Personen verliehen, die all dies mitbringen.

Diese Menschen, in deren Händen ein Teil des Schicksals dieses Landes liegt, wissen stets einen kühlen Kopf zu bewahren. In ihren Profilen zeigt sich eine kaum merkliche Melancholie, denn sie sind darauf gefasst, ihr Leben für die Sache zu opfern.

Die einsame Elitetruppe, die eine große, schwere Verantwortung trägt, mit den mit einem Hexagramm und dem Wappen des Großen Anführers gravierten Silberuhren in den Händen. Das sind die Staatsalchemisten, der Stolz unseres Landes ...

»Wooow!«

Früh am Morgen, als am östlichen Himmel gerade erst die Sonne aufzugehen begann, entschlüpfte Alphonse unwillkürlich dieser Ausruf. Er las im Speiseraum des Hotels, in dem er zusammen mit seinem Bruder übernachtete, in einer Zeitschrift eine Randkolumne über Staatsalchemisten.

»Ein kühler Kopf, Elite ... Offenbar sehen manche Menschen sie so.«

Während es viele gab, die Staatsalchemisten, denen zahlreiche Sonderrechte gewährt wurden, als »Lakaien der Armee« schmähten, schien der Verfasser dieser Kolumne neben einer tiefgehenden Ehrerbietung gleichzeitig auch etwas zu viele Idealvorstellungen zu hegen.

»Wo es doch auch Ausnahmen gibt!«, murmelte Alphonse, der die Realität nur allzu gut kannte. Raschelnd blätterte er die Seite um, als ...

»Heey, Aaaal!«

Eine megalaute Stimme hallte durch den stillen Speiseraum, in dem sich außer dem Koch, der in der Küche das Frühstück vorbereitete, und Alphonse niemand befand.

Zum Zeitpunkt des Sonnenaufgangs schliefen die meisten Hotelgäste noch. Gesunder Menschenverstand gebot da eigentlich, dass diejenigen, die bereits wach waren, auf ihre Umgebung Rücksicht nahmen. Doch Edward Elric, Staatsalchemist und Vorzeigebeispiel für Ausnahmen, kümmerte so etwas in keiner Weise.

»E... Ed! Schhhh!«

Hastig richtete Alphonse einen Finger auf und hielt ihn an den Mundbereich der Rüstung, ehe er sich sowohl vor dem Koch, der aus der Küche reinschaute, als auch vor dem Angestellten von der Rezeption, der herbeigeeilt kam, um nachzusehen, ob etwas vorgefallen war, entschuldigend verbeugte.

Alphonse und Edward waren bereits vor einer Weile in diesem Hotel in Central abgestiegen. Auch in dieser Zeit hatten sie viel zu tun gehabt – Edward war zu den Xerxes-Ruinen gereist und Alphonse mit den Homunkuli beschäftigt gewesen.

Am Vortag hatten die Brüder nach langer Zeit mal wieder einen friedlichen Abend zusammen verbringen können und damit sein großer Bruder in Ruhe schlafen konnte, hatte Alphonse die ganze Nacht im Speiseraum lesend zugebracht. Winry, die ebenfalls mit ihnen nach Central gekommen war, schlief in ihrem separaten Zimmer wahrscheinlich noch tief und fest.

Eigentlich wollte Alphonse die beiden in etwa zwei Stunden wecken gehen, doch Edward war anscheinend von selbst früh aufgestanden und kam nun mit polternden Schritten hergerannt.

Laut zog er sich einen Stuhl zurück, ohne sich um die tadelnden Blicke seines Umfelds zu kümmern, setzte sich vor Alphonse und holte ein Blatt Papier heraus.

»Wie findest du das?!«

Wenn Edward auftauchte und Alphonse sofort und aus heiterem Himmel nach dessen Meinung fragte, konnte dieser nie etwas antworten, weil er nicht wusste, worum es ging. Alphonse seufzte angesichts des wie immer unvermittelten Verhaltens seines Bruders und nahm das Papier entgegen. Jemand hatte es so, wie es ihm gerade in den Sinn gekommen war, unordentlich mit etwas Ähnlichem wie Buchstaben vollgekritzelt und dabei sämtliche Begrenzungslinien ignoriert.

»Was ... ist das für ’ne Sprache?«

Nachdem er sich abgequält hatte, um das Blatt zu entziffern, und es mal schräg, mal weiter von seinem Gesicht weggehalten hatte, streckte Edward von gegenüber die Hand aus, nahm das Papier, drehte es auf den Kopf und gab es seinem Bruder zurück.

»Ah, sorry, es war falsch rum!«

Dennoch hatte sich an der schweren Lesbarkeit des Schriftstücks nichts geändert. In dem Text, der an mehreren Stellen durchgestrichen war, fand Alphonse dann aber endlich einen Satz zu dessen Zweck.

»Ein Strategieplan, um sich Scar entgegenzustellen? Echt? Ist dir was eingefallen?«

»Klar! Hab ein paar Vorschläge zusammengestellt.« Grinsend schlug Edward die Beine übereinander und lehnte sich in seinem Stuhl zurück.

Es war spät am vergangenen Abend gewesen, als die Brüder entschieden hatten, sich als Nächstes Scar vorzuknöpfen. Hierzu wollten sie von dem Ishvalen, der Staatsalchemisten auf den Tod nicht leiden konnte, angegriffen werden, sich also selbst in Gefahr begeben, um die Homunkuli herauszulocken, die Edward nicht sterben lassen wollten.

Doch zunächst einmal war es schon schwierig, Scar überhaupt zu begegnen, da sie nicht einmal wussten, wo er sich aufhielt. So war ihnen letzte Nacht schlussendlich keine gute Strategie eingefallen.

»Mitten in der Nacht bin ich aufgewacht und hab angefangen nachzudenken, und auf einmal war es auch schon Morgen!«

»Das sieht dir ähnlich! Aber übernimm dich nicht!«

Als Alphonse hörte, dass Edward wenigstens etwas geschlafen hatte, fühlte er sich beruhigt. Wenn dessen kleine graue Zellen nämlich einmal losratterten, vergaß er zu essen und zu schlafen. Doch die Ideen, die seiner Konzentrationsfähigkeit entsprangen, waren vielversprechend, und Alphonse folgte voller Erwartung den handgeschriebenen Buchstaben.

»Oho, du hast das Konzept geändert! Hab nichts anderes von dir erwartet!«

Nachdem er alles zu Ende gelesen hatte, spürte Alphonse erneut Bewunderung für seinen großen Bruder. Sie hatten sich am vergangenen Abend zwar die Köpfe darüber zerbrochen, wie sie Scar, der sich in der Stadt versteckt hielt, finden sollten, doch der Vorschlag auf dem Papier ging jetzt in die entgegengesetzte Richtung. Mit anderen Worten sah diese Strategie vor, Scar nicht selbst zu finden, sondern sich von Scar finden zu lassen.

»Ist doch so, oder?« Edward lachte triumphierend und lehnte sich auf etwas überhebliche Weise in seinem Stuhl zurück.

»Aber ...« An dieser Stelle geriet Alphonse ein wenig ins Stocken. Die Umkehrung des Grundkonzepts war großartig, doch die aufgelisteten Methoden konnte er nur etwas schwerlich abnicken.

1) Flyer verteilen. Unsere Profile und den gegenwärtigen Aufenthaltsort öffentlich bekannt machen.

2) Auf einem geschmückten Handwagen, riesige Fahnen schwenkend, durch die Straßen ziehen.

3) Dafür sorgen, dass sich Gerüchte in der Stadt verbreiten. Zum Beispiel, dass es einen groß gewachsenen, gut aussehenden Staatsalchemisten namens Edward gibt o. Ä.

»Ähm ... Was davon findest du am besten, Ed?«

Etwas forsch hob Alphonse das Gesicht und sah einen grinsenden Edward, der anscheinend nur auf diese Frage gewartet hatte.

»Das hier natürlich!« Er streckte einen Finger aus und drückte ihn rigoros auf das Blatt. Er zeigte auf Nummer drei.

»Dacht ich's mir doch …« Im Gegensatz zu Edward, der fröhlich lächelte, atmete Alphonse tief aus und schüttelte entschieden den Kopf. »Selbst wenn wir ein solch *offensichtlich falsches* Gerücht in die Welt setzen, wird Scar glauben, dass es sich um jemand anders handelt, und nicht drauf anspringen. Den Vorschlag mit den Flyern können wir streichen, da wir nicht wissen, ob Scar sie wirklich lesen wird oder nicht …«

»Moment mal! Hast du nicht grade was von ›offensichtlich falsch‹ gesagt?!« Edward, der mit seinen scharfen Ohren die beiden genuschelten Wörter trotzdem gehört hatte, bleckte die Zähne. »Hör mal, Gerüchte liegen ihrem Wesen nach fern jeder Realität! Ist es denn nicht okay, in einem Gerücht wenigstens zu träumen?«

Energisch beharrte Edward auf seiner Meinung, indem er wie ein Kind die Hände zu Fäusten ballte und auf den Tisch hämmerte. Es war traurig, dass unter diesen seinen Händen die Zeitschrift lag, die Alphonse bis vorhin noch gelesen hatte, mit ihrem Text *… wissen stets einen kühlen Kopf zu bewahren … Die einsame Elitetruppe.*

»Es wäre sinnvoller, Milch zu trinken, als zu träumen, Ed!«

»Was ist dann mit Nummer zwei? Die ganze Stadt wird darauf aufmerksam, also wird auch Scar es mitkriegen!«

Edward, der es liebte aufzufallen, machte sich nun ordentlich für Nummer zwei stark, doch Alphonse schüttelte erneut den Kopf.

»Ich denke, dass wir von der Militärpolizei aufgehalten werden, ehe das passiert.«

Alphonse stellte sich den Anblick vor und seufzte. Edward würde oben auf dem mit Neonlichtern pompös dekorierten Wagen, den er selbst ziehen würde, eine Fahne schwingen, während die Menschen, die die Straße entlanggingen, einen weiten Kreis um sie bildeten. Auf die Fahne würde Ed garantiert *Trefft die Elric-Brüder!* schreiben.

Ein solch verdächtiges Zweiergespann, das von den Leuten neugierig beäugt werden würde, ließe die Militärpolizei ohne Zweifel nicht gewähren.

»Ich will nicht, dass die Leute mich als Sonderling im Gedächtnis behalten«, sagte Alphonse zu Edward, der die Lippen gespitzt hatte. Dann hob er den Finger und klopfte auf Nummer drei. »Mit diesem Vorschlag bin ich einverstanden. Aber keine Lügen ...«

»Wenn ich irgendwann groß bin, ist es keine Lüge mehr!«

»Jaja. Ich hab's kapiert, also lass gut sein ... Wenn wir's schon machen, wie wär's dann, wenn wir mit etwas Gutem zum Gesprächsthema werden?«

Bei Alphonse' Vorschlag zog Edward die Augenbrauen zusammen. »Willst du Müll sammeln oder so? Das ist zu alltäglich – damit wird man nicht zum Gesprächsthema!«

»Nee, wir helfen Menschen mit Alchemie! Das fällt auf. Und weil du Staatsalchemist bist und es dadurch noch authentischer wirkt, wird auch Scar es glauben, denke ich ... Und vor allem wird es deinen Ruf verbessern!«

»Meinen Ruf ...?«

»Ja, deinen Ruf.«

Als Reaktion darauf zuckten Edwards Schultern zusammen und Alphonse nickte feierlich. Zu den Dingen, die die Brüder in letzter Zeit belasteten, gehörte auch Edward Elrics schlechter »Ruf«.

Er hatte Bösewichte verprügelt, denen sie auf ihren Reisen begegnet waren, mit Chimären gekämpft, sich verbotenerweise irgendwo Eintritt verschafft, bei der Gelegenheit Dinge und Gebäude in der Umgebung zerstört – und so weiter. Anscheinend wurden die Geschichten ausgeschmückt und durch Hörensagen weiterverbreitet, was Edwards Ruf zusätzlich beschädigte.

Auch als sie in diesem Hotel absteigen wollten und Edward an der Rezeption seinen Namen nannte, erblassten die Reisenden, die ebenso einchecken wollten, und murmelten: »Ist das etwa der Rowdy, von dem es heißt, dass dort, wo er durchgezogen ist, kein Stein mehr auf dem anderen steht?«

Bestimmt würden die Brüder auch weiterhin durchs ganze Land ziehen. Es war eine gute Idee, das Vertrauen der Leute zurückzugewinnen, bevor es zu spät war.

»Das leuchtet ein. Wenn wir etwas Gutes tun und damit auffallen, kommt Scar und auch mein Ruf wird besser, stimmt's?«

Edward lächelte selbstzufrieden. Anscheinend hatte er sich vorgestellt, wie die Leute in der Stadt ihn bewundern würden, und dies für nicht schlecht befunden. Aber natürlich auch, weil es ihnen in Zukunft zugutekommen würde. Es versetzte den jungen Alchemisten auf einen Schlag in Hochstimmung.

»Genau so ist es.«

Obwohl das Gesicht seiner Rüstung es nicht ausdrücken konnte, lächelte auch Alphonse in seinem Herzen. In Wahrheit wollte vielmehr er in der gegenwärtigen Lage irgendwie Abhilfe schaffen als sein direkt betroffener Bruder.

Zwar führte Edwards schlechter Ruf dazu, dass die Leute ihm gegenüber Vorurteile hegten, doch die Missverständnisse aus der Welt schaffen musste immer Alphonse. Auch im aktuellen Fall hatte er Edward zurückgehalten, als dieser »Wer soll hier ein Rowdy sein?!« gerufen und kurz davorgestanden hatte aufzubrausen. Alphonse hatte das Missverständnis bei den Reisenden, die in ein anderes Hotel fliehen wollten und beinahe weinten, geduldig aufgeklärt und die Situation irgendwie unter Kontrolle gebracht.

Der jüngere Elric war gern bereit, für seinen Bruder Mühen auf sich zu nehmen, doch wenn es möglich sein sollte, wollte er die Zahl der Vorkommnisse minimieren, die ihm Kopfschmerzen bereiteten. Die beste Methode, um das zu erreichen, bestand darin, Edwards Ruf zu verbessern.

»Tjaa, wollen wir's gleich mal angehen?«

»Ja!«

Trotz unterschiedlicher Erwartungen besaßen sie ein gemeinsames Ziel, nämlich etwas Gutes zu tun und damit aufzufallen. Nachdem sie einen Stadtplan entfaltet und eine Route festgelegt hatten, verließen sie in ausgelassener Stimmung das Hotel.

Morgens ging es in Central stressig und laut zu. Eine Weile nach Sonnenaufgang begannen die Leute, die zur Arbeit mussten, auf den Straßen entlangzulaufen und Autos fuhren hupend über die Kreuzungen.

Gegenüber dem Hotel, das sich in der Nähe des Stadtzentrums befand, war der Besitzer einer Bäckerei gerade dabei, die knarzende Tür und damit den Verkauf zu öffnen.

»Meister, haben Sie Croissants da?«

»Und für mich ein Milchbrötchen!«

Mehrere Kinder kamen auf dem Weg zur Schule blitzschnell aus allen Richtungen auf Fahrrädern vorgefahren. Doch noch ehe sie ihre Gefährte zum Halt brachten, wollten sie schon wissen, ob es die gewünschte Backware gab. Zwei der Kinder, die nicht nach vorn geschaut hatten, stießen mit einem lauten Krachen zusammen.

»Uwaaah!«

»Aua!«

»H... Hey, ist alles in Ordnung?«

Der Ladenbesitzer, der die Fahrräder und die gestürzten Kinder gesehen hatte, stürmte nach draußen und half ihnen auf die Füße. Glücklicherweise waren sie nur mit ein paar Schrammen davongekommen, doch die Fahrräder hatten sich seitlich ineinander verkeilt und waren umgefallen, sodass bei beiden jeweils das Vorderrad verbogen war.

»Euch wird nichts anderes übrig bleiben, als sie reparieren zu lassen!«, sagte der Ladenbesitzer. Da riefen die Kinder bestürzt: »Oh nein, wir müssen doch gleich zur Schule!«

»Wir kommen zu spät!

»Nur keine Sorge!!«, ertönte plötzlich eine laute Stimme von der gegenüberliegenden Straßenseite. Der Bäcker und die Kinder wandten sich gleichzeitig in die Richtung, aus der sie gekommen war. Vor dem Hoteleingang auf der anderen Seite der Straße standen ein Junge und eine blaugraue Rüstung.

»Edward Elric ist jetzt da!« Der Junge, der von kleiner Statur war und seine blonden Haare zu einem Zopf geflochten hatte, zwinkerte ihnen zu und überquerte die Straße. Sein roter Mantel flatterte im Wind. »Verlasst euch auf mich, wenn ihr in Schwierigkeiten seid … Oha, das war knapp!«

»Du musst erst nach links und nach rechts schauen!«, wies die Rüstung, die dem Jungen von hinten nachgelaufen war, diesen wie ein Erziehungsberechtigter zurecht. Er hatte die Straße einfach überqueren wollen und war von einem von der Seite kommenden Auto angehupt worden.

»Dieser Junge …« Der Ladenbesitzer hatte die beiden schon einmal irgendwo gesehen. Wohnte das Gespann nicht seit Kurzem im Hotel und kam ab und zu vorbei, um Backwaren zu kaufen?

Die Person in der Rüstung begrüßte den Bäcker auf eine freundliche Art, die nicht zu seinem Aussehen passte, doch von dem Jungen, der zwar fein geschnittene Gesichtszüge, aber einen scharfen Blick besaß und unfreundlich war, hatte er keinen besonders guten Eindruck.

Doch als dieser zu ihm trat, war er wie ausgewechselt und lächelte strahlend. »Lasst ihr mich bitte kurz vorbei?«, sagte er höflich und stellte sich vor die Kinder. Dann legte er, die auf dem Boden übereinanderliegenden Fahrräder vor sich, die Hände aneinander. Seine Handflächen donnerten und in dem Moment, in dem er sie an die Fahrräder legte, schoss ein erstaunliches Licht aus ihnen heraus.

Als der Bäcker und die Kinder, die unwillkürlich ihre Augen geschlossen hatten, sie wieder öffneten, sahen die Fahrräder, die eigentlich kaputt hätten sein müssen, aus wie früher und standen ordentlich vor dem Laden aufgereiht.

»Wie coool!«

»War das Alchemie?!«

Die Kinder brachen in Freudengeschrei aus. Der Junge lief am halb verblüfften Ladenbesitzer vorbei und legte vor dessen Eingangstür erneut die Hände aneinander. Das Licht verschwand und die fast kaputten Türscharniere waren repariert.

»Jetzt ist es sicherer!«

»V... Vie... Vielen Dank!«, bedankte sich der Bäcker, der mit einem Lächeln bedacht wurde, das kaum noch zu toppen war, und sich nun insgeheim bei dem Jungen entschuldigte, dass er ihn für frech gehalten hatte.

»Ähm, wie können wir Ihnen danken? Was müssen wir bezahlen ...?«

»Aber nicht doch! Wir Staatsalchemisten können doch nichts annehmen! Nun denn, wir müssen weiter! Passt in Zukunft auf, dass ihr mit euren Fahrrädern nicht gegen irgendwas fahrt!«

Seine weißen Zähne entblößend lächelte Edward den Kindern heiter zu, hob eine Hand zum Gruß und lief zusammen mit der Rüstung davon.

»Viiielen Daaank!«

»Dankeee!«

»Dieser Junge ist ein Staatsalchemist ... Und dazu noch so ein gutes Kind ...«

Der Ladenbesitzer, der neben den winkenden Kindern stand, war von der Haltung und dem Lächeln des Jungen gerührt. Trotz des Gefühls, dass das Lächeln ein wenig *zu* breit und leicht theatralisch gewesen war, konnte er nicht leugnen, dass Edward Elric eine gute Tat vollbracht hatte, die sich sowohl ihm selbst als auch den Kindern fest ins Gedächtnis eingebrannt hatte.

»Aaah, ich hab meinen Namen zu früh gesagt!«

Während sie sich von der Bäckerei entfernten, verzog Edward das Gesicht.

In dem Moment, in dem sie beschlossen hatten, Leuten zu helfen, und aus dem Hotel nach draußen getreten waren, hatten sie den Zusammenstoß der Fahrräder gesehen und daraufhin unbewusst vorschnell gehandelt.

»Wenn du deinen Namen von der gegenüberliegenden Straßenseite aus rufst, versteht man ihn manchmal nicht, also ist es vielleicht besser, damit aufzuhören«, stimmte Alphonse seinem großen Bruder zu.

»Also gut, dann will ich ihn das nächste Mal direkt vor der Transmutation nennen! Übrigens, ist es nicht besser, wenn ich vor meinem Namen auf jeden Fall noch ›Staatsalchemist‹ sage?«

»Gute Idee, so hört Scar auch eher was davon!«

»Würdest du dann bitte noch für Stimmung sorgen, wenn ich meinen Namen sage, Al? Du könntest eine kleine Fahne basteln und sie neben mir schwingen oder so.«

»Mach ich. Ah, das hier ist vielleicht nicht schlecht!«

Mithilfe von Alchemie transmutierten die Brüder einige am Wegrand liegende Flyer in Fächerform, damit man sich Luft zufächeln konnte. Anschließend liefen sie in Richtung der großen Straße, wo sie viele Leute vermuteten, und diskutierten weitere Verbesserungsmöglichkeiten.

Just in dieser Sekunde hörten sie aus der Buchhandlung ein kleines Stück vor ihnen einen Schmerzensschrei. Ein Regal war wohl zusammengebrochen, weil man zu viele Bücher darauf gestapelt hatte. Vor den Büchern, die sich bis vor den Laden verteilt hatten, und dem zerstörten Regal stand eine fassungslose Angestellte.

»Okay, dann als Nächstes dahin!« Unverzüglich rannte Edward zum Buchladen, holte tief Luft und rief aus unmittelbarer Nähe: »Staatsalchemist Edward Elric ist jetzt da!«, sodass sich die Angestellte beinahe die Ohren zuhalten musste. Im Anschluss zwinkerte er ihr auf derart übertriebene Weise zu, dass man es schon fast hören konnte, und legte die Hände aneinander.

»Ed, wir zählen auf dich!« Mit den Fächern wedelnd feuerte Alphonse seinen großen Bruder an. Kurz darauf füllte ein Blitz den Buchladen. Als das gleißende Licht, das mit der Sonne mithalten konnte, verschwand, war das zerbrochene Regal perfekt wiederhergestellt.

»War das Alchemie?«

»Klasse!«

Angesichts der vor ihren Augen präsentierten Transmutation staunten die Leute, die den Schrei der Angestellten gehört hatten und zusammengekommen waren. Jemand sprach Edward schüchtern an: »Hör mal, ich bin gerade dabei, das Gebäude nebenan zu renovieren, hab aber Probleme, weil die Leiter kaputtgegangen ist. Könntest du mir die vielleicht reparieren?«

»Überlassen Sie das nur mir!«

Nachdem Edward übers ganze Gesicht grinsend eingewilligt hatte, lief er von der Buchhandlung zum Nachbargebäude und reparierte die Leiter, die komplett entzweigebrochen war. Bei der Gelegenheit fiel ihm auf, dass der Griff am Rollwagen, mit dem der Zement transportiert wurde, verbogen war, und besserte ihn aus. Zu dem Zeitpunkt, als er auch noch mehrere kaputte Fensterscheiben wieder in ihren Ursprungszustand versetzte, hatte sich in der Umgebung bereits eine riesige Menschenmenge gebildet.

»Was? Der repariert Sachen kostenlos? Wer ist das überhaupt?«

»Er hat gesagt, dass er Staatsalchemist ist!«

»Echt jetzt?!«

Die Transmutationen, die sich vor den Augen der versammelten Leute ununterbrochen abspielten, versetzten sie in Staunen und sie fragten einander, wer Edward Elric eigentlich sei. Weil sie noch nie gehört hatten, dass Staatsalchemisten nicht für die Armee, sondern für die Bürger des Landes Transmutationen durchführten, konnten sie es nicht sofort glauben.

Doch wie um diesen laut diskutierten Punkt klarzustellen, bestieg Edward die Leiter, die er vorhin erst repariert hatte, und rief: »Staatsalchemist Edward Elric! Freut mich, euch alle kennenzulernen!«

»Edward, euer Alchemist von nebenan! Das ist Edward Elric!« Zu den Füßen seines Bruders, der beide Hände gehoben hatte und die Leute auf sich aufmerksam zu machen versuchte, rief auch Alphonse wiederholt dessen Namen, während er mit den Fächern wedelte und für Stimmung sorgte.

»Woooh!«

»Cool! Er ist es wirklich!«

Der Lärm verwandelte sich in Beifallsrufe und Edwards Name und Ruf begannen, sich nach und nach in der ganzen Stadt zu verbreiten.

Nicht weit vom Central Command befand sich ein siebenstöckiges Krankenhaus, das neben einem Empfang sowie etlichen Untersuchungs- und Behandlungszimmern auch mit über zweihundert Krankenzimmern ausgestattet war.

Vor einem dieser Zimmer blieb Roy Mustang etwa zehn Sekunden lang stehen.

An der Wand neben der Tür befand sich eine Halterung, in die das Namensschild der Patienten geschoben wurde, die das Zimmer belegten. Darauf standen zwei Namen. Aus Gründen des Personenschutzes handelte es sich bei beiden um Decknamen. Roy streckte seine Finger zu dem Namensschild aus, das für sein Alias verwendet worden war, und zog es langsam heraus.

Das andere Schildchen würde noch eine Weile drinbleiben. Nachdem Roy es eine Zeit lang betrachtet hatte, legte er seine Hand auf den Türgriff und öffnete die Tür.

In dem kleinen, aber gemütlichen Krankenzimmer standen nebeneinander zwei Betten. In demjenigen auf der Fensterseite saß halb aufgerichtet Jean Havoc und las eine Zeitung.

Sie beide waren auf Homunkuli getroffen und in einen Kampf verwickelt worden, von dem sie schwere Verletzungen davongetragen hatten. Trotzdem hatte Roy beinahe mit Gewalt seine Entlassung aus dem Krankenhaus durchgesetzt, wohingegen Havoc mit seinen beiden gelähmten Beinen das Bett noch immer nicht verlassen konnte.

Roy, der zu einer Untersuchung gekommen war und bei der Gelegenheit etwas holen wollte, das er vergessen hatte, betrat das Krankenzimmer. Doch von Havoc kam überhaupt keine Reaktion.

Schweigend stellte sich der Oberst zwischen das Bett, das bis vor zwei Tagen seins gewesen war, und Havocs Bett und zog die Schublade des Sideboards auf, das er während seines Krankenhausaufenthalts benutzt hatte. Durch den Ruck gaben die Gegenstände, die Roy darin hatte liegen lassen – der Füller, den er gern verwendete, und einige Büroklammern zum Zusammenhalten von Dokumenten –, ein trockenes Poltern von sich. Als er den Stift in seine Brusttasche gesteckt und die Klammern in einer anderen Tasche verstaut hatte, hörte er eine kaum vernehmbare Stimme: »Sie sind ja noch gutmütiger, als ich dachte!«

»...« Nachdem Roy die nun leere Schublade leise geschlossen hatte, wandte er sein Gesicht dem Bett nebenan zu.

Havoc lehnte seinen Oberkörper an die schräg aufgerichtete Oberhälfte des Betts. Sein Blick war unverändert auf die Zeitung geheftet. Aus seinem Profil ließen sich überhaupt keine Emotionen herauslesen.

Vor zwei Tagen war festgestellt worden, dass Havoc seine Beine nie wieder würde bewegen können. Daraufhin hatte Roy zu ihm gesagt, dass er ihn zurücklassen werde, er aber nachkommen solle.

Da Roy das Krankenzimmer anschließend sofort verlassen hatte, wusste er nicht, was Havoc darauf erwidert hatte. Hatte er sich entschieden mitzukommen? Oder wollte er aus dem Dienst ausscheiden und es dabei bewenden lassen?

Mochte dieser ihn auch als gutmütig bezeichnen – einen Untergebenen, mit dem er durch dick und dünn gegangen war, konnte Roy nicht fallen lassen. Er glaubte felsenfest daran, dass Havoc nachkommen würde. Doch wenn er sich an dessen schmerzerfüllte Augen und die zitternden Fäuste erinnerte, als er »Geben Sie mich auf!« gebrüllt hatte, konnte Roy sich nicht sicher sein.

»Gibt es irgendeinen Artikel zu ungewöhnlichen Vorkommnissen oder so?«, sprach der Oberst Havoc ruhig an, während er seine Erschütterung verbarg.

»Eigentlich nicht.«

Havoc warf die Zeitung, die er in den Händen gehalten hatte, auf die Decke, die seine Knie bedeckte, und zeigte sie Roy.

Die für einen Terroranschlag in der Provinz verantwortlichen Täter waren gefasst worden. Aus einem Kunstmuseum war ein wertvoller antiker Krug entwendet worden. Fotos zeigten, was bei der Feier zur Eröffnung einer neuen Zugstrecke los gewesen war. Die Reportage *Leute der Woche*. Stellenanzeigen für

Militärpolizisten inklusive Details. In gewissem Sinne wurde darin über nichts anderes als das übliche Alltagsgeschehen berichtet.

Ihr Gespräch brach ab. Eine wie früher unbefangene Atmosphäre, in der sie gemeinsam über die Unfähigkeit der Oberen meckerten, manchmal kleine Wetten abschlossen und ab und zu auch die Arbeit schwänzten, kam nicht auf.

Schweigend betrachtete Roy Havocs Profil, aus dem sämtliche Empfindungen verschwunden zu sein schienen. Nach einer schon fast unnatürlich langen Stille wandte Havoc seinen Blick Richtung Fenster.

»Ah, da fällt mir ein, dass ich was Interessantes entdeckt hab!« Er streckte den Arm aus, griff nach dem Fernglas auf seinem Nachttisch und blickte damit nach draußen. »Als ich gestern zufällig rausgeguckt hab, war da eine Menschentraube in der Ferne und weil auch meine Mutter, die zum Krankenbesuch da war, meinte, dass in der Stadt einiges los ist, hab ich mich zum Zeitvertreib mal hiermit umgesehen.«

Havoc bewegte das Fernglas mal nach links und mal nach rechts. Dann hielt er inne, als ob er das Gesuchte entdeckt hätte, justierte den Vergrößerungsgrad und reichte es seinem Vorgesetzten.

»Der große Platz im Osten.«

Wie geheißen nahm Roy das Fernglas und schaute in die Richtung, in die Havoc gezeigt hatte.

»Wa...?!« Roy war sprachlos, als er es sah.

Er verstand nicht, was sich ihm darbot, fragte sich, ob das Fernglas etwa kaputt sei, hielt es einmal von seinen Augen weg und fokussierte seinen Blick. Doch es war unmöglich, ohne Hilfsmittel zu überprüfen, was er gesehen hatte, und so spähte er erneut ungläubig hindurch.

Durch die Linsen war Edward zu sehen. Mitten in einem Ring aus Menschen, die sich auf dem großen Platz versammelt hatten, war er gerade dabei, energisch die Hände aneinanderzulegen. Weil dabei jedes Mal ein Licht entstand, das an einen Blitz erinnerte, setzte er wohl Alchemie ein. Offenbar reparierte er kaputte Dinge.

Alchemie besaß die Kraft, Materie neu zusammenzusetzen. Selbstverständlich wurden Dinge wiederhergestellt, wenn man sie transmutierte. Das leuchtete ein.

Was nicht einleuchtete, war, warum Edward, der normalerweise anderen gegenüber kein Interesse zeigte, von sich aus aktiv gute Taten vollbrachte. Unglaublich war außerdem, dass sein üblicher scharfer Blick verschwunden und an dessen Stelle ein breites Lächeln getreten war.

Sogar Alphonse, der jedes sonderbare Verhalten seines großen Bruders wohl auf der Stelle unterbinden würde, wedelte mit etwas wie Fächern herum und tanzte dabei nach rechts und nach links.

»Das kann doch nicht …!«, murmelte Roy unwillkürlich, da er zum ersten Mal Edwards an Heiterkeit nicht zu übertreffendes lachendes Gesicht sah.

Inmitten einer Menschenansammlung kletterte dieser auf eine Straßenlaterne in der Nähe, hob oben angekommen die Hände und rief etwas. Obwohl Roy seine Stimme nicht hören konnte, schaffte er es doch irgendwie, dessen Lippenbewegungen zu lesen.

»Edward Elric! Ich bin Edward Elric, Ihr Staatsalchemist von nebenan!!«, sagte er.

»Seit gestern repariert er mit Alchemie Häuser und andere Dinge. Allein mir sind der achte, der vierzehnte und der fünfzehnte Bezirk aufgefallen ... Geht man davon aus, dass ich wegen der Gebäude nicht alles sehen konnte, ist er an mehr als zehn Orten aktiv. Und die sind allesamt stark frequentiert.«

Bei Havocs Erklärung drehte Roy den Kopf. »Heißt das, dass er das tut, um auf jeden Fall aufzufallen ...?«

Wenn es ihm nur um die guten Taten ginge, hätte er sie auch schlichter, mehr im Stillen tun können. Wenn er aber extra laut dafür Werbung machte, bestand seine eigentliche Absicht wohl darin, die Aufmerksamkeit auf sich zu ziehen.

Jenseits des Fernglases zwinkerte Edward der Menschenmenge dramatisch zu und ließ seinen roten Mantel im Wind flattern.

Roy verzog die Augenbrauen, fast so, als ob er etwas Unangenehmes gesehen hätte. Er löste das Fernglas von seinen Augen und gab es Havoc zurück.

»Was war das denn gerade ...?«

»Tja. Ich kann nicht mehr tun, als von hier aus zuzusehen.«

Bei dieser scheinbar gleichgültig dahingeworfenen Aussage wandte Roy, der von Edwards seltsamem Verhalten abgelenkt gewesen war, seinen Blick vom Geschehen draußen vor dem Fenster ab und sah auf Havocs Gesicht hinunter.

Dieser streckte die Hand aus und zog die Zeitung, die auf seinen Knien lag, zu sich heran. »Na ja, da ich unseren guten Fullmetal noch vor Ihnen entdeckt hab, heißt das doch, dass ich etwas tun kann, auch wenn ich nicht mehr in der Lage bin, mich zu bewegen, oder? Um unserem Freund unauffällig beizustehen, der aus irgendeinem Grund versucht, Aufmerksamkeit auf sich zu lenken, könnte ich außerdem zum Beispiel hier anrufen.«

Mit der Fingerspitze deutete er auf den Artikel *Leute der Woche*.

Roy hatte sich nach vorn gelehnt und einen Blick auf den Artikel geworfen. Vor seinen Augen schob sich Havocs Finger ans Ende des Textes. Dort wurden die Menschen dazu aufgerufen, großartige Leute zu empfehlen, die sie in der Stadt gesehen hatten. Neben entsprechenden Kontaktdetails stand in dem Artikel noch, dass der Person, die übers Jahr gesehen die positivste Resonanz erhielt, sowie demjenigen, der diese Person empfohlen hatte, ein Preisgeld von einhunderttausend Cens winkte.

»Wir teilen es uns«, flüsterte Havoc Roy ins Ohr.

Die Blicke von Roy, der seinen Kopf gesenkt hatte, und Havoc, der seinen Oberkörper nun aufgerichtet hatte, trafen sich. In Havocs blassblauen Augen lag keine Spur der bisherigen Ohnmacht und Qual und er hatte kaum merklich die Mundwinkel gehoben.

Ein unbekümmerter Gesichtsausdruck und ein Ton, als ob er alle irgendwo zum Narren halten wollte. Zum ersten Mal seit ihrem Kampf gegen die Homunkuli erkannte Roy den alten Havoc wieder.

»Ist doch nicht schlecht. Lassen Sie uns das Geld bei meiner Entlassung aus dem Krankenhaus versaufen oder so!«

Auch Roy lächelte ruhig und nickte dann fest. Havoc hatte es zwar nicht klar und deutlich gesagt, und der Oberst hatte nicht vor, ihn danach zu fragen, aber sein Untergebener würde nachkommen, ob die Reha nun Erfolg hatte oder nicht. Daran konnte er jetzt glauben.

Roy streckte den Rücken durch und betrachtete aus dem Fenster den blauen Himmel, der sich unendlich weit in alle Richtungen erstreckte.

»In jedem Fall ist Fullmetals seltsames Verhalten ungemein schwer zu verstehen.«

»Warum er so was wohl macht?«

»In ein paar Tagen werde ich etwas Zeit haben. Soll ich direkt mal hingehen und nachsehen ...?«

Es war bestimmt kein Problem, ihn dem Zeitungsverlag zu empfehlen. Edward Elrics Verhalten ließ keinen anderen Schluss zu, als dass er auffallen wollte. Allerdings hatten sie keine Ahnung, was er damit wirklich beabsichtigte.

Havoc hielt sich das Fernglas erneut an die Augen und ließ den Blick durch die Stadt schweifen. »Ah, er ist immer noch dabei! Diesmal steht er auf dem Dach eines Wohnhauses im zwölften Bezirk.«

»Vorhin ist er auf eine Straßenlaterne geklettert!«

»Gestern hab ich ihn auf 'ner Mauer gesehen!«

Für eine Weile herrschte zwischen den Männern Schweigen.

»Wird ja immer höher, oder?«

»Stimmt.«

Sagt man nicht mancherorts, dass außer Rauch noch etwas anderes gern nach oben steigt? Dass die beiden an das Wort ›Deppen‹ dachten, versteht sich von selbst.

Wie um das Gespräch der beiden Militärangehörigen mit einem Beweis zu untermauern, reparierte Edward mehrere Stunden später einen Schornstein und kletterte bei der Gelegenheit bis an dessen Spitze. Alphonse sah zu seinem großen Bruder auf und freute sich von ganzem Herzen. »Das machst du großartig, Ed …!«

Wenn er sähe, dass Edward beide Arme in die Höhe reckte und seinen Namen rief, würde Alphonse ihn normalerweise tadelnd fragen, was das werden solle, doch diesmal war es anders. Sie wollten zwar durchaus von Scar entdeckt werden, doch dass sie im Zuge dessen Menschen, die in Schwierigkeiten steckten oder Hilfe brauchten, zur Seite standen, machte den lieben und freundlichen Alphonse total glücklich.

»Jaaa, ein wirklich großartiger Alchemist!«

Aus der riesigen Menschenmenge waren Stimmen zu hören, die Edward priesen.

»Er hat unser kaputtes Dach repariert!«

»Und auch meinen Stuhl ausgebessert!«

»Nicht ein einziges Mal hat er ein widerwilliges Gesicht gemacht, sondern freundlich lächelnd transmutiert!«

Unter den glücklich miteinander quasselnden Menschen waren sogar welche, die Alphonse, der Edward aus der Nähe unterstützte, auf die Schulter klopften oder ihn anlächelten.

»Bist du der kleine Bruder dieses Alchemisten? Du hast wirklich großes Glück!«

»Auf jeden Fall!« Alphonse nickte mit großer Geste.

Wo sie auch hinreisten, neigte Edward dazu, bei den Leuten vor Ort einen äußerst unguten Eindruck von sich zu hinterlassen:

Er war ungeduldig und ungestüm, guckte böse und drückte sich unfein aus.

Eigentlich war er aber ein höchst mitfühlender und freundlicher Junge. Dass die Menschen das jetzt erfahren konnten, erfüllte Alphonse als kleinen Bruder mit Freude und Stolz.

Er hoffte, dass der positive Eindruck weiterhin bestehen blieb, und nahm wieder die Fächer zur Hand, um seinen Bruder kräftig zu bewerben.

»Das da drüben ist Edward! Edward, der Staatsalchemist!«

»Hallo, hör mal!« Abseits der Menschenmenge, in der einige ihre Arme ausgestreckt hatten und Edward, der begonnen hatte, vom Schornstein hinabzusteigen, Beifall zuriefen, packte eine kleine Hand Alphonse am Lendentuch. »Kann er auch mein Spielzeug reparieren?«

Neben Alphonse stand ein kleines Mädchen, das ängstlich zu ihm hochsah. In den Armen hielt es ein Spielzeugpferd aus Holz. »Ich bin gekommen, weil ich gehört habe, dass der liebe kleine Herr Alchemist es mir wieder heilmachen würde!«

»Aber natürlich macht er das!«

Als Alphonse sich auf ein Knie stellte und dem Mädchen sachte über das flaumig weiche Haar streichelte, lachte es fröhlich. Er selbst lächelte ebenfalls, auch wenn man es ihm äußerlich nicht ansah.

Doch dann erstarrte er vor Schreck.

Der kleine Herr Alchemist. Das hatte sie gesagt. *Klein*. Das verbotene Wort. In dem Augenblick, in dem es Edwards Ohren erreichte, würde er durchgehen wie das schlimmste Pferd.

Einen Moment lang war Alphonse furchtbar aufgeregt, doch dann erinnerte er sich gleich, dass sich Edward ziemlich weit weg von ihnen befand, und ein Stein fiel ihm vom Herzen.

»Warte kurz, okay? Der Alchemist kommt sof…« Alphonse wandte sich zum Schornstein um und fuhr erschrocken zusammen.

Edward starrte in ihre Richtung.

Nachdem er der Menge zuwinkend weiter die Leiter am Schornstein hinabgestiegen war, verharrte er nun in seiner Pose und sah zu Alphonse und dem Mädchen hinunter. Sein Gesicht war ernst.

Er konnte es unmöglich auf diese Entfernung und bei all den ununterbrochen Beifall rufenden Stimmen gehört haben. Doch sein Blick war voller Misstrauen.

»Hat er etwa *so gute* Ohren …?« Bestürzt hob Alphonse hastig beide Arme und winkte seinem Bruder auffällig zu: »Ed, gib dein Bestes!«

Der jüngere Elric gab sich den Anschein, als wäre nichts gewesen, und feuerte Edward an. Zwar legte dieser einmal den Kopf schief, setzte dann aber erneut ein heiteres Lächeln auf und stieg, seinen Fans wieder zuwinkend, weiter hinab.

»Puh, war das knapp …« Erleichtert atmete Alphonse aus und zog das Mädchen an der Hand zum Fuß des Schornsteins, wo eine große Menschentraube kaputte Gegenstände reparieren lassen wollte.

»Ed, reparier als Nächstes bitte das Spielzeug des Mädchens hier!«

»Yo, ich komm sofort, wenn ich hier fertig bin, also wartet so lange!«

Nachdem er auf Alphonse' Zuruf reagiert und die Hand gehoben hatte, nahm Edward eine Porzellanpuppe entgegen, die ihm eine ganz vorn stehende alte Frau hingehalten hatte.

»Die Puppe, die ich von meinem Mann bekommen habe, ist leider gesprungen! Bekommst du sie wieder hin?«

»Na klar, keine Sorge!«

An Ort und Stelle vollführte Edward eine Pirouette, kam direkt vor der alten Frau zum Stehen, zeigte seine weißen Zähne und nahm eine Pose ein.

Seltsam war, dass diese mittlerweile fest etablierte Pose, die sich gerade am Anfang noch übertrieben angefühlt hatte, jetzt im Gegenteil verlässlich wirkte und cool aussah. Wachsam beobachtete Alphonse, wie Edward die schöne, elegante Puppe auf den Boden setzte und die Hände aneinanderlegte.

»Wenn der Staatsalchemist Edward Elric sich der Sache annimmt ...«

Angesichts des gleißenden Lichts der Transmutation raunten die Leute in der Umgebung ein ergriffenes *Ooh!*. Das Licht breitete sich dort aus, wo sich die vielen Blicke trafen, und konvergierte nach kurzer Zeit.

Was dort erschien, war eine Puppe mit glatter Porzellanhaut und ganz ohne Risse. Allerdings war ihr ursprünglich kleines Gesicht seltsam groß und anstelle des Kleides trug sie etwas mit einem Muster aus Wirbeln. Es wäre zutreffender, diesen Ersatz nicht als Puppe, sondern als steinzeitliche Tonfigur zu bezeichnen.

»Ed ...!« Alphonse bedeckte sein Gesicht mit den Händen und rannte dann zu seinem Bruder. »Haben wir nicht gesagt, dass wir kreative Neuschöpfungen sein lassen?!«, flüsterte er ihm ins Ohr.

»Aber ...«

»Nichts aber! Also wirklich ...! Bitte entschuldigen Sie, wir machen die Puppe sofort wieder so, wie sie war!« Alphonse verbeugte sich entschuldigend vor der verblüfften alten Frau und nahm Edward die Puppe aus den Händen.

»Hey, was machst du mit meinem Meisterwerk?!«

»Du meinst wohl Meisterpfusch! Wir sind jetzt hier, um uns als gute Menschen bekannt zu machen, schon vergessen?«

»Und deshalb hab ich sie hübscher gemacht!«

»...«

Als Edward ihm in vollem Ernst antwortete, bekam Alphonse unwillkürlich Lust, die Hände an den Kopf zu legen. Doch er konnte sich gerade noch beherrschen und reichte Edward das kleine Holzpferd, das das Mädchen ihm hingehalten hatte.

»Reparier bitte dieses Spielzeug, Ed! Okay? Und zwar so, wie es vorher war!«

»Pah, was soll das denn?!«

Alphonse wandte seinem Bruder, der wie ein Kind die Lippen spitzte, den Rücken zu, legte die Puppe mit dem rätselhaften Muster auf den Boden und transmutierte sie erneut.

Da ihr Ziel diesmal darin bestand, den Namen des »(rechtschaffenen) Staatsalchemisten Edward Elric« bekannt zu machen, hatte Alphonse vorgehabt, sich auf seine Anfeuerungsrolle zu konzentrieren, ohne Alchemie zu benutzen.

Doch obwohl es ausreichen würde, die Dinge einfach nur wiederherzustellen, machte Edward manchmal etwas Seltsames daraus. Soeben hatte er einen niedlichen spitzenbesetzten Kinderwagen in ein Objekt verwandelt, dem an der Spitze ein bohrerförmiger Fortsatz gewachsen war und total böse schauende, schräg stehende Augen und ein Mund aufgemalt waren. Alphonse hatte sich bei der extrem wütenden Frau entschuldigt, den Kinderwagen neu transmutiert und den Zwischenfall gerade noch so zu einem guten Ende gebracht.

»Also wirklich! Und das, wo sich sein Ruf langsam bessert ...«

Nachdem er der alten Frau die Puppe, die wieder so aussah wie vorher, zurückgegeben und sich umgedreht hatte, legte Edward die Hände wieder aneinander – und das Spielzeugpferd vor sich.

Vor den Augen des besorgten Alphonse und denen des Mädchens, das mit erwartungsvollem Blick zusah, wurde das Holzpferd, dem ein Bein abgefallen war, ohne Probleme wieder heil.

»Wah, danke!« Als es das Spielzeug sah, das wie bei einem Zaubertrick innerhalb eines Wimpernschlags wiederhergestellt war, klatschte das Mädchen aufgeregt und freudig in die Hände.

Da hörten sie ein Klatschen, das noch lauter war als das des Kindes.

»Ja, das ist wirklich großartig!«

Direkt neben Edward und Alphonse stand ein junger Mann mit vor Rührung feuchten Augen. Er trug Anzug, Mütze und eine Brille mit schmalem Rand. Eine Kamera hing vor seiner Brust und er hielt einen Stift und einen Notizblock in den Händen.

Der junge Mann nahm die Mütze ab und begrüßte die beiden energisch: »Freut mich, Sie kennenzulernen! Ich bin Reporter bei der *Central Times*. Sie sind Edward Elric, der Staatsalchemist, und Sie sein Bruder Alphonse, richtig?« Während er beide aufgeweckt begrüßte, reichte ihnen der sehr sympathisch wirkende Journalist seine Visitenkarte. »Wissen Sie, in unserer Zeitung haben wir eine Kolumne, die *Leute der Woche* heißt. Wegen der Verschwiegenheitspflicht darf ich Ihnen zwar nicht sagen, wer es war, doch es gibt jemanden, der Edward empfohlen hat, weil er für die Gesellschaft und die Menschen Gutes tut. Deshalb bin ich gekommen, um Sie zu fragen, ob ich Material sammeln darf! Wenn ich Ihnen nur einen halben Tag lang über die Schulter schauen dürfte?! Stören werde ich Sie auf keinen Fall! Wäre das für Sie in Ordnung?«

»Eine Reportage über Ed?« Alphonse, der die Visitenkarte angenommen hatte, staunte. Da es sich bei dem Zeitungsverlag um einen der ganz großen handelte, den auch Alphonse gut kannte, sah er den Namen des jungen Mannes nicht zum ersten Mal. »Kann es sein, dass Sie in einer Zeitschrift diese Kolumne über Staatsalchemisten ...«

Der Text über Staatsalchemisten, abgedruckt in der Zeitschrift, die er gestern erst gelesen hatte. Der Name auf der Visitenkarte deckte sich mit dem am Ende des Artikels.

»Haben Sie sie etwa gelesen?! Vielen Dank! Seit ich klein war, habe ich Staatsalchemisten bewundert. Weil ich kein Talent hatte, habe ich den Weg des Journalisten eingeschlagen, doch es macht mich sehr glücklich, dass ich so wie jetzt die Gelegenheit bekomme, direkt mit Ihnen zu sprechen!«

Seine Augen funkelten und er betonte besonders das Wort »sehr«.

»Oho! Bestimmt hat mich jemand empfohlen, der mir dankbar war!« Edward, der es liebte aufzufallen, grinste augenblicklich, als er »Material sammeln« hörte. »Ich wollte schon immer mal in die Zeitung, und sei's nur einmal!«

Trotz seiner umfangreichen Erfahrungen im Vergleich zu anderen Jungen seines Alters und seiner durchaus erwachsenen Seite, änderte das nichts daran, dass Edward mit seinen fünfzehn Jahren noch immer etwas Kindliches an sich hatte, egal, was man sagen mochte.

Ohne etwas von Roys und Havocs Absichten zu wissen, freute sich der junge Alchemist aufrichtig und stimmte bereitwillig zu. »Okay! Wenn Sie wollen, stellen Sie sich direkt neben mich, damit Sie gut sehen können! Das macht mir nichts aus!«

»Wirklich?! Wie liebenswürdig ...! Vielen Dank!«

Die Hand des Journalisten, die den Stift umklammert hielt, zitterte, als wäre er von der offenen und aufgeschlossenen Art überwältigt, mit der ihm der unvergleichliche Staatsalchemist begegnete. Mit einem Seitenblick auf den gerührten Reporter tippte Alphonse Edward hastig auf die Schulter. »Ed, so'ne Nahreportage ist nicht gut!«

»Wieso?« Edward, der ein kaputtes Radio in die Hand genommen hatte und es gerade mit Alchemie reparieren wollte, fühlte sich wie vor den Kopf geschlagen. »Wenn wir in die Zeitung kommen, wird die Wahrscheinlichkeit größer, dass Scar auf uns aufmerksam wird. Genau das wollen wir doch, oder nicht?«

»Uhm …« Alphonse rang um Worte.

Es gab ein Problem. Sogar ein großes.

Um Edwards Ruf zu verbessern, war es bestimmt wirklich am effektivsten, wenn ihn die Zeitung in großem Stil aufgreifen würde. Das galt aber nur, solange nichts passierte.

»Dieser Reportermensch scheint Staatsalchemisten in ziemlich rosarotem Licht zu sehen! Wenn er Zeuge von irgendwas wird, was auch nur ein bisschen problematisch ist, wird er megaenttäuscht sein und schreibt vielleicht im Umkehrschluss etwas voll Negatives in seinen Artikel!«

»Ha ha ha! Al, du machst dir immer zu viele Sorgen! Komm mal runter!«

»Aber …!«

»Ich seh überhaupt kein Problem! Bei seinen Recherchen werde ich mich die ganze Zeit wie ein Gentleman benehmen!«

Edward hielt seinen Daumen hoch, wie um zu sagen:

Überlass das mir!

Dann stellte er das Radio, dessen Antenne abgebrochen war, auf dem Boden ab, führte die Hände zusammen und legte die Handflächen an das Gerät.

Einen Augenblick lang wurde die Umgebung in Licht getaucht. Als sie dieses gar erhabene Strahlen sahen, hielten der Reporter und die Leute um sie herum vor Staunen unwillkürlich den Atem an. Das Radio, das nach kurzer Zeit vor ihren Augen in Sicht kam, war in seiner ursprünglichen Form vollkommen wiederhergestellt.

»Das hier ist fertig!«

»Aah, es ist wieder wie vorher!« Der Besitzer des Radios streichelte es glücklich. »Mit diesem Gerät verbinde ich wertvolle Erinnerungen! Ich bin so froh, dass es wieder heil ist!«

»Es war mir ein Vergnügen! ... Siehst du, dass deine Sorgen unbegründet waren?« Edward wandte sich zu Alphonse um, während er mit einem heiteren Lächeln die Hand ausstreckte, um auf die Aufforderung des Mannes zu reagieren, ihm die Hand zu schütteln.

Doch die nächsten Worte ließen sein lachendes Gesicht zu Eis erstarren.

»Kleiner Herr Alchemist, hab wirklich vielen Dank!«

»...!!!«

»Aaargh!«, rief Alphonse verzweifelt und blickte zum Himmel empor. Genau diese Situation hatte er befürchtet.

Was würde passieren, wenn Edward mitten in der Recherche eines Zeitungsreporters, der in alle Landesteile berichtete, die Kontrolle verlieren würde? Der Journalist, der mit ansehen würde, wie alles rings um sie von Verzweiflungsschreien verschlungen wurde und Menschen in Panik herumliefen, würde aus dem Wüten des Staatsalchemisten bestimmt einen großen Artikel machen. Da Berichte einer so bedeutenden Zeitung in sämtlichen Landesteilen gelesen wurden, würde sich Edwards schlechter Ruf in alle Winkel von Amestris verbreiten.

Als Alphonse sich vorstellte, wie die Leute ihnen überall, wo sie hinreisten, mit widerwilligen Gesichtern begegneten und sie fortjagten, wurde ihm ganz schwarz vor Augen. Die zwei Brüder würden in die missliche Lage geraten, von den Menschen im ganzen Land wie Plagegeister behandelt und dazu verdammt zu werden, durch die Ödnis zu wandeln.

»Aah, Ed, jetzt werden wir von allen komplett gehasst, nicht wahr …?«

»Es tut mir leid, Al. Alles nur, weil dein Bruder so charakterschwach ist …«

»Hast du mir nicht versprochen, es nicht zu sagen, Ed?!«

»Al …!«

Die Gestalten der sich kräftig umarmenden Brüder würden nach kurzer Zeit von einer Staubwolke verschluckt, die über das Ödland schwebte …

Da Edwards Ruf sich langsam gebessert hatte, war Alphonse' Niedergeschlagenheit nun umso größer, und – damit einhergehend – auch seine Fantasie umso lebhafter. Doch jetzt war nicht der Moment, sich im Kopf ihrer Geschwisterbande zu vergewissern. Damit Edward ein von allen gemochter Staatsalchemist sein konnte, mussten sie diese Situation durchstehen.

»Wer ist hier kl…«

»Ed!« Mit Nachdruck packte Alphonse den Saum von Edwards Mantel, weil dieser ernsthaft im Begriff war, sich auf den Mann zu stürzen. »Lass es und halt dich zurück! Hast du nicht vorhin erst selbst verkündet, dass du dich wie ein Gentleman benehmen willst?!«

»Verd…!« Edward, der den Mann nun am Kragen packen wollte, statt ihm die Hand zu schütteln, schaffte es gerade noch so, die Zähne zusammenzubeißen und sich zurückzuhalten.

»Ist etwas nicht in Ordnung …?«

Der Reporter, der sich bereitgehalten hatte, um den Händedruck mit der Kamera festzuhalten, bemerkte, dass Edward sich keinen Millimeter rührte, und legte den Kopf schief. Der Mann sah ebenfalls verwundert auf die Hand hinunter, die seinen Händedruck einfach nicht erwiderte. Die umstehenden Leute, die bis eben noch wiederholt Edwards Namen gerufen hatten, waren in Schweigen verfallen, als spürten sie die seltsame Atmosphäre.

»So, schüttel ihm die Hand!«, flüsterte Alphonse seinem Bruder ins Ohr, woraufhin dieser aufhörte, mit den Zähnen zu knirschen, und langsam die Hand des Mannes ergriff.

»Hab wirklich vielen Dank! Ähm, die Gebühr ...« Der Mann bedankte sich erneut und verzog trotz des viel zu festen Händedrucks kaum merklich das Gesicht.

Edward hob auf etwas steife Weise abwehrend die Hände und schüttelte den Kopf. »So etwas können wir nicht annehmen! Machen Sie sich bitte keine Gedanken!« Diesen Text, der eigentlich von einem sanften Lächeln hätte begleitet werden müssen, hatte er heruntergerattert. Sein Gesicht lachte nicht.

»Habe ich etwas Falsches gesagt ...?«

»Nein, nein, es ist alles gut!«, warf Alphonse ein, der neben dem misstrauisch dreinblickenden Mann stand, und wedelte hastig mit den Händen. Daraufhin machte nun der Journalist zögerlich den Mund auf: »Aber seine Stirn ist schweißüberströmt! Kommt das vielleicht von Erschöpfung?!«

»Es ist nichts, Sie bilden sich das nur ein! Ed ist immer munter und strahlt vor Lachen!« Alphonse schob sich unauffällig vor den Reporter, um seinen angespannten Bruder hinter seinem Rücken zu verbergen. Dann sprach er diesen über die Schulter hinweg an: »Ed, du machst aber ein ernstes Gesicht!«

»Uhm ...«

»Lach doch mal! Jetzt lächel schon, Ed!«

»Gnnn...!« Der junge Alchemist atmete tief durch und schaffte es unter großen Anstrengungen endlich, seine Mundwinkel zu heben. »Sie brauchen sich nicht zu bedanken! Überlassen Sie alles Edward Elric, dem Staatsalchemisten, auf den sich Ihre Stadt verlassen kann!«

Edward ließ seinen Mantel wirbeln und drehte sich um. Dann zwinkerte er der Menge auf die bisher extravaganteste Weise zu. Seine Augen wirkten zwar irgendwie leer, doch der Reporter und die Umstehenden richteten Blicke grenzenlosen Vertrauens und Respekts auf ihn.

»Staatsalchemist Edward Elric! Was für ein wunderbarer Mensch ...!«, murmelte der Journalist tief bewegt.

Wie als Reaktion darauf rief auch die Menge dessen Namen: »Edward Elric ...!«

»Ein wunderbarer Staatsalchemist, der Alchemie für das Wohl des Volkes einsetzt!«

Die Stimmen, die nach Edward riefen, vereinten sich zu einer großen Woge, die sich von Mensch zu Mensch immer weiter verbreitete.

Alphonse betrachtete seinen Bruder, der dem Impuls, hier an Ort und Stelle auszurasten, widerstanden hatte und jetzt als Reaktion auf die begeisterten Rufe winkte. Er dachte an die Krisen, die ihnen wohl noch bevorstanden, und bekam Kopfschmerzen.

Und mit seiner Vorahnung lag er absolut richtig, denn die gefährlichen Situationen, die sie überwinden mussten, waren noch nicht vorbei.

»Kleines Brüderchen, mach mein Spielzeug auch wieder heil!«

»Kleiner, niedlicher Herr Staatsalchemist, bitte reparieren Sie unser Dach!«

»Ich will auch, dass Sie die Spielgeräte meiner Kinder reparieren, aber … Heey, Herr Staatsalchemist, wo sind Siie? Ah, Sie sind so klein, da hab ich Sie nicht gesehen!«

»Uwaah, Sie sind so beliebt! Es ist mir eine Ehre, meine Recherchen über solch eine wunderbare Person machen zu dürfen!«

Die vielen Menschen, die weitere Erwartungen vorbrachten, standen in einer Reihe vor Edward und riefen ohne böse Absicht wiederholt das verbotene Wort. Hinter ihm ließ der Reporter seinen Stift übers Papier flitzen, während er vor Rührung und Freude zitterte. Edward steckte wahrlich in der Klemme.

Verzweifelt versuchte Alphonse seinen Bruder zu decken, der immer, wenn er das verbotene Wort hörte, die Augen weit aufriss und dessen Fingerspitzen an beiden Händen verkrampften, als könnte er sich jederzeit auf die Umstehenden stürzen.

»Wie, Ed sieht böse aus? Neeein, das bilden Sie sich nur ein!« »Er soll mürrisch schauen? Absolut nicht! Er fokussiert sich nur ernsthaft auf die Transmutationen!« »Sie machen sich Sorgen, ob er die Reparatur originalgetreu durchführen kann? Seien Sie beruhigt, sie wird ordentlich … Waah, schon wieder eine Tonfigur!«

Sie mussten Scars Aufmerksamkeit erregen und Edwards Ruf verbessern.

Alphonse spürte auf schmerzliche Weise, dass beides gleichzeitig nicht zu erreichen war, wenn er sich der Sache nicht mit Haut und Haaren hingab. Daher rannte er verzweifelt hin und her, um noch irgendetwas zu retten.

»Bin ich fertig …«

An diesem Abend lag Alphonse mit dem Gesicht auf dem Tisch allein im Speiseraum des Hotels. Edward schlief in ihrem gemeinsamen Zimmer und Winry war zum Übernachten zu Gracia gegangen.

Im Restaurant befanden sich nur zwei Grüppchen von Hotelgästen, vielleicht weil die Hauptabendessenszeit vorüber war. Alphonse betrachtete, wie sie aßen und dabei gemütlich mit ihren Begleitern plauderten, und nahm einen tiefen Atemzug. Sein Rüstungskörper ermüdete zwar nicht, doch geistig war er komplett erschöpft. So sehr hatte ihm der lange Tag heute psychisch zugesetzt.

Verzweifelt hatte er Edward besänftigt, der jedes Mal, wenn er das Wort ›klein‹ hörte, die Zähne bleckte. Eifrig hatte er ihn vor dem Reporter, der ein misstrauisches Gesicht machte, und den Blicken der Leute versteckt, und manchmal mit seinen eigenen Händen rätselhafte Objekte wiederherstellen müssen, die so verunstaltet waren, dass sie ihre ursprüngliche Form fast gänzlich verloren hatten.

Aber es hatte sich gelohnt, alles zu geben. Obwohl Edward mehrmals kurz davorgestanden hatte, an die Decke zu gehen, war er nicht ausgerastet und es ihm gelungen, ein halbwegs freundliches und sanftes Bild von sich zu wahren.

Als er sich vom Tisch aufrichtete, erinnerte sich Alphonse an den Reporter. Er hatte den ganzen Tag lang sämtliche Worte und Taten Edwards in seinem Notizbuch festgehalten und war anscheinend sehr gerührt gewesen, denn beim Abschied hatte er sogar Tränen vergossen.

»Ich bin der glücklichste Mensch auf Erden, weil ich eine solch großartige Person begleiten durfte! Ich verspreche Ihnen, daraus den besten Artikel überhaupt zu machen! Vielleicht kann ich Ihnen morgen schon den Entwurf zeigen!«

Am dämmrigen Straßenrand hatte er Edward fest die Hand gedrückt und war anschließend hüpfend Richtung Zeitungsverlag gelaufen. In dem Moment war Alphonse aus tiefstem Herzen erleichtert gewesen.

Edward war indessen ins Bett geplumpst, kaum dass sie im Hotel zurück waren und zu Abend gegessen hatten. Die ungewohnten Anstrengungen hatten womöglich ihren Tribut gefordert, weshalb er ziemlich erschöpft war.

Der Tag war zwar anstrengend gewesen, doch wenn der Artikel ohne Zwischenfälle erschien, würden alle Leute im Land von Edwards guten Taten erfahren. In Zukunft würde man sie dann wohl auf ihren gemeinsamen Reisen überall freudig empfangen. Als Alphonse daran dachte, war seine Erschöpfung wie weggeblasen.

Jetzt mussten sie nur noch darauf warten, dass Scar auftauchte, während sie weiterhin Menschen halfen. In der Zeit bestand natürlich ebenfalls die Möglichkeit, dass Edward ausrastete, aber solange der Reporter nicht dabei war, würde Alphonse die Situation sicher irgendwie retten können.

»Wie gut, dass wir nicht mit einem Handwagen durch die Stadt gezogen sind!«

Alphonse schlug die Zeitschrift auf, die er mitgenommen hatte, als er aus dem Zimmer gegangen war, um den Schlaf seines Bruders nicht zu stören. Erneut ließ er sich ihren Erfolg auf der Zunge zergehen. Vor allem hatte Edward, der inmitten der erwartungs- und respektvollen Blicke der vielen Leute freundlich lächelnd eine Transmutation nach der anderen ausgeführt hatte, wahnsinnig cool ausgesehen.

»Wie schön es doch wäre, wenn Ed genau so ein wunderbarer Bruder bleiben würde! Ach ja, ich muss auch Oma Pinako Bescheid sagen, dass wir in der Zeitung erscheinen werden. Sie wird bestimmt staunen!«, sagte er wie zu sich selbst und kicherte, als plötzlich eine laute Stimme durch den ganzen Speiseraum hallte.

»Alphonse!!«

Der jüngere Elric schrak so sehr zusammen, dass er beinahe die Seite der Zeitschrift zerriss, die er gerade umblättern wollte. Als er sich umdrehte, sah er, wie der Zeitungsreporter, der zum Verlag hatte zurückgehen wollen, vom Eingang des Speiseraums in seine Richtung kam.

»Es ist furchtbar!« Der Körper des jungen Mannes war schweißgebadet, als ob er mit Höchstgeschwindigkeit hierhergerannt wäre. Sein Erscheinungsbild verriet, dass etwas passiert sein musste.

Alphonse erhob sich.

»Was ist denn los?!«, fragte er und reichte dem Journalisten ein Glas mit Wasser aus der am Nachbartisch aufgestellten

Karaffe. Nachdem der Reporter es in einem Zug hinuntergestürzt hatte, legte er die Hände auf den Tisch und begann zu erzählen. Dabei versuchte er gleichmäßig zu atmen.

»Ich wollte Ihnen eine Information übermitteln, die ich aus einer gewissen Quelle bekommen habe ...! Nachdem ich die Rohfassung des Artikels fertiggestellt hatte und das Haus verlassen wollte, kam aus der Informationsabteilung ein Tipp. Du weißt doch bestimmt, dass es gestern einen Einbruch in ein Kunstmuseum gab?«

»J... Ja, na ja ...« Alphonse, der noch immer nicht verstand, was das mit ihnen zu tun hatte, nickte zögerlich. Dass vergangene Nacht aus dem Kunstmuseum in Central ein wertvoller Krug gestohlen worden war, wusste er, weil er es heute Morgen im Radio gehört hatte. »Es handelt sich um das Werk eines berühmten Künstlers im Wert von achtzig Millionen Cens. Die Täter hat man noch nicht gefasst ...«

»Ja. Und dies ist eine geheime Information, die noch nicht öffentlich bekannt gegeben worden ist: Es scheint, dass die Diebe den Krug versehentlich beschädigt haben.«

»Sie haben ihn kaputt gemacht ...?« Alphonse war geschockt.

Viele gestohlene Kunstwerke wurden auf dem Schwarzmarkt gehandelt, doch der Preis, den beschädigte oder kaputte Ware erzielte, machte im Vergleich zu dem, was für sie in unbeschädigtem Zustand verlangt werden konnte, einen himmelweiten Unterschied. Die Täter würden das zerstörte Kunstwerk bestimmt irgendwie reparieren wollen und dafür eignete sich Alchemie am besten.

»Die Diebe wollen Ed dazu bringen, ihn zu reparieren, oder?!«

»Genau! Unserer Informationsabteilung zufolge wird es heute Nacht in einer benachbarten Stadt eine Schwarzmarktauktion geben. Um ihre Ware dort zu versteigern, müssten die Kerle sie entweder bereits von Edward wiederhergestellt bekommen haben oder sie kommen vielleicht gleich noch, um ihn darum zu bitten.«

»Unfassbar ...!« Sie beide konnten darauf verzichten, von Verbrechern zu Mittätern gemacht zu werden.

Hastig durchkämmte Alphonse seine Erinnerung an den heutigen Tag. Zu den Charakteristika des Krugs, von denen er in den Nachrichten gehört hatte, gehörten ein indigofarbenes Muster auf weißem Porzellan und eine beachtliche Größe. Doch in seiner Erinnerung fand Alphonse nichts, was dem gestohlenen Kunstwerk ähnlich gesehen hätte.

»So was hat Ed noch nie repariert ... Dann heißt das doch, dass die Täter vielleicht gerade auf den Weg hierher sind!«

Als Alphonse aufsprang und aus dem Speiseraum stürmte, ratterte sein Stuhl laut.

Sie hatten den Namen des Hotels, in dem sie abgestiegen waren, und ihre Zimmernummern zwar nicht öffentlich bekannt gegeben, doch es bedurfte nicht viel, um diese Information schnurstracks in Erfahrung zu bringen. Sehr wahrscheinlich würden die Täter nicht mitten am Tag, wo es viele Zeugen gab, sondern in der Nacht, wenn sie die Sache unauffällig zum Abschluss bringen konnten, direkt zu Edward kommen.

»Nicht auszudenken, wenn er den Krug repariert, ohne etwas zu merken! Wir müssen es ihm schnellstmöglich sagen!«

»Beeilen wir uns!«

Alphonse und der Reporter durchquerten die Lobby und liefen die Treppe zu dem Zimmer im vierten Stock hoch, wo Edward schlief.

»Und das, wo Edward doch so ein gutes Herz hat und seine Alchemie gütigerweise für das Wohl der Menschen einsetzt …! Es ist unverzeihlich, solch einen wundervollen Menschen für seine Zwecke zu missbrauchen!« Die Wangen des Journalisten erröteten. Er ballte die Hände zu Fäusten und empörte sich aufrichtig. »So großartige Menschen gibt es selten! Trotz seiner Lebhaftigkeit und Unbekümmertheit sind sein Gesichtsausdruck und sein Auftreten irgendwo weich. Obwohl sein Blick scharf und durchdringend ist, findet er zahlreiche Worte des Mitgefühls für sein Gegenüber. Und er denkt sogar an den Fanservice, wenn er beim Transmutieren seine Pose einnimmt …«

Eds Ruhelosigkeit wurde zu *Lebhaftigkeit*. Seine ausdruckslose Haltung, weil er dazu verdonnert worden war, sich in Geduld zu üben, machte der Reporter zu einem *weichen Gesichtsausdruck und Auftreten* und den Moment, in dem Ed fast an die Decke gegangen war, zu einem *scharfen und durchdringenden Blick*. Die Worte, die er bei dem Versuch, sich zu beherrschen, herausgepresst hatte, waren für ihn *Mitgefühl* und seine übertriebene Performance *Fanservice*.

Schließlich kommt es immer darauf an, wie man etwas formuliert, nicht wahr?

»Ich habe alles restlos in meinem Artikel verarbeitet! Ich habe ihn mitgebracht, also schauen Sie ihn sich bitte später an!«

Alphonse sah, wie der Journalist glücklich auf seine Jackentasche klopfte, als ob sich besagter Entwurf dort befände. Er dachte, wie gut es wirklich war, dass sie alles über die Bühne bringen konnten, ohne dessen Traum zu zerstören.

Doch jetzt war nicht der Augenblick für Erleichterung. Alphonse lief zusammen mit dem jungen Mann in einem Ritt in den vierten Stock hoch. Da sahen sie auf dem langen Flur mit den vielen Türen die Gestalten zweier Männer. Sie standen vor dem Zimmer, in dem Edward schlief, und hielten etwas Großes, das in ein Tuch gewickelt war.

»Herr Edward, wir sind mit einer Bitte zu Ihnen gekommen ...«

Einer der Männer klopfte an die Tür. Sein Ton klang äußerst normal und ließ überhaupt nicht an einen Dieb denken, aber dort, wo der Wickel, den der andere Mann trug, zusammengeknotet war, blitzte ein auf weißes Porzellan gemaltes indigofarbenes Muster hervor.

»Das sind sie! Diese zwei müssen es sein!«

Gewöhnliche Verbrecher hätten es bestimmt vermeiden wollen, etwas mit einem Staatsalchemisten zu tun zu bekommen. Doch wegen dessen Aktionen in den letzten paar Tagen wurde gemunkelt, dass Edward Elric ein außergewöhnlich netter Alchemist war. Die Männer hatten sich wohl darauf verlassen, dass der junge Alchemist sie nicht verdächtigen würde, wenn sie ihm vorspielten, wie sie ihren wertvollen kaputten Krug beklagten. Obendrein würde er diesen noch kostenlos reparieren. Nicht zuletzt weil Edward erst fünfzehn Jahre alt war, unterschätzten die Männer ihn vielleicht.

Schnellen Schrittes ging Alphonse auf sie zu. Er brauchte nichts zu übereilen, denn es gab keinen Fluchtweg außer der Treppe. Auch um die anderen Hotelgäste nicht zu belästigen, war es am wichtigsten, die Sache ohne viel Lärm und flott über die Bühne zu bringen.

Je näher er kam, umso besser hörte er, was die Männer sagten.

»Ist niemand da? Dabei haben wir gehört, dass Sie freundlicherweise alles reparieren!«

»Kaputt, wie er ist, wird er uns billig abgehandelt werden! Was sollen wir nur machen?«

»Is' nicht zu ändern. Lassen wir ihn bis zur nächsten Auktion irgendwie ausbessern. Gehen wir für heute nach Hause.«

»Mist! Wo wir doch extra hergekommen sind!«

Edward schien zu schlafen, ohne das Klopfen zu bemerken, vielleicht weil er ziemlich erschöpft war. Verärgert schnalzten die Männer mit den Zungen und entfernten sich von der Tür.

Wenn sie sich umdrehen, werde ich ihnen genau so den Weg versperren, sie zusammen mit dem Reporter schnappen und sie der Militärpolizei übergeben. So werden weder der schlafende Edward noch die anderen Hotelgäste belästigt und es wird in wenigen Minuten vorbei sein, überlegte Alphonse. Bis er das eine Wort hörte, das einer der Männer als Nächstes von sich gab.

»So'n Dreck, dieser Winzling von einem Staatsalchemisten!«

Der Mann hatte seine Beschimpfung geflüstert, es war nicht mehr als ein Wispern, noch nicht einmal ein Murmeln gewesen. Doch sofort hallte ein knirschendes, unheilvolles Geräusch durch den Korridor.

»…?«

Die Männer drehten sich um. Auch Alphonse und der Journalist starrten die Tür hinter den beiden an. Dort, wo die vier hinsahen, wölbte sich die Tür des Zimmers, in dem sich Edward befand, beachtlich in den Flur hinein.

Im nächsten Moment wurde sie mit einem spektakulären *Krach, krrrach!* in Richtung Korridor weggeblasen. Aus dem Schauer an Holzsplittern tauchte der Gentleman-Staatsalchemist auf, verwandelt in Edward, den schlimmsten aller Rowdys.

»Wweer iiist hiier …« Seine Stimme klang furchtbar tief und bedrohlich; gleichzeitig hob er langsam die Hände hoch, die er wie Klauen nach vorn eingeknickt hatte. »… ein Winzlinnnnng?!«

Edward gab einen Kampfschrei von sich und sprang mit nahezu unglaublicher Kraft hoch. Er landete vor dem Mann, der nicht den Krug hielt, und packte ihn am Kragen.

»Gyaaaaaah!« Mehr noch als davon, dass er gewürgt wurde, war der Mann von Edwards Gesichtsausdruck eingeschüchtert und schrie auf.

»Waaaaaaah!« Auch der Kumpan des Mannes gab, als er Edwards vollends in Erscheinung getretenen Blutdurst aus nächster Nähe mitbekam, vor lauter Angst einen Verzweiflungsschrei von sich und warf den Krug weg.

»Uwaaaaaaah!« Alphonse und der Reporter sahen, wie der Krug mit einem Marktwert von achtzig Millionen Cens durch die Luft segelte, und schrien beide lauthals auf.

»Ich bin kein Winzlinnnnnnnnng!!«, brüllte Edward, all die Schreie der anderen übertönend. Vor Alphonse und dem

Journalisten, die es irgendwie geschafft hatten, den Krug aufzufangen, riss Edward die Augen weit auf.

»Alle erdreisten sich, mich Winzling zu nennen! Wiiieso musste ich mir allein heute achtundzwanzig Mal sagen lassen, dass ich klein seeeeeeei?!« Anscheinend hatte er gewissenhaft mitgezählt. »Achtundzwanzig Mal! Achtundzwanzig Mal? Achtundzwanzig Mal?! Keine Gnaaadeee!!«

Während Edward die Zahl mehrmals wiederholte, wirbelte er den Mann, den er gepackt hatte, durch die Luft und warf ihn am Ende seines verbalen Wutausbruchs mit voller Wucht über den Korridor.

»Ugyaaah!«

Der bedauernswerte Mann, dem schwindlig geworden war, knallte gegen die Wand und plumpste zu Boden, nachdem er sich noch mehrere Male gedreht hatte.

»Waaaaah ...«

Der andere Mann sah, wie sein Kumpel das Bewusstsein verlor, fiel auf den Hosenboden und wich zurück. Edward baute sich sofort breitbeinig vor ihm auf.

»Bin ich klein?«

»Hä?«

Der Mann hatte überhaupt keine Ahnung, was diese Frage bedeuten sollte, schüttelte aber in dem Bestreben, Edward zu entkommen, verzweifelt den Kopf. »N... Nein!«

»Etwa groß?«

»J... Ja, groß! Du reichst schon fast in den Himmel hinauf!«

»Warum habt ihr mich dann vorhin Winzling genannt?!«

Er packte den Mann, der zu entkommen versuchte, an beiden Beinen und hob ihn hoch. Dann drehte er sich weit nach hinten um, holte Schwung und schleuderte ihn entschlossen nach vorn.

»Ah, aaah!« Von der Reibungshitze gepeinigt, die zwischen dem Teppich und seinem Rücken entstand, rutschte der Mann mehrere Meter weiter, prallte gegen die Wand und verlor das Bewusstsein. Dem Reporter und Alphonse war nichts anderes übrig geblieben, als verblüfft vom Ende des Korridors aus zuzusehen.

»E... Edward ...« Der Journalist, der noch immer den Krug im Arm hielt, war verwirrt, sein Idol so ganz anders zu sehen als am Mittag, und flüsterte nur dessen Namen. Daraufhin drehte sich dieser zu ihm um.

»Gehörst du etwa auch zu denen?!« Der junge Alchemist hatte einen irren Ausdruck in den Augen.

»H... Häääh?! Ich bin's doch! Ich bin der Reporter, der Sie heute Mittag begleiten durfte!«

»Dann gehörst du also zu denen!« Anscheinend war nicht nur Edwards Sehvermögen, sondern auch sein Gehör abgedreht. Er faselte zusammenhangloses Zeug, packte die auf dem Flur stehende Kiste, in die Bettwäsche geräumt wurde, hob sie über seinen Kopf und rannte hinter dem fliehenden Reporter her, um sie komplett über ihn zu stülpen. »Und überhaupt – ich wachse ja noch! Ich wachse immer weiter!«

Da kam der Hotelangestellte, der den Lärm gehört hatte, die Treppe hochgerannt.

»Werter Herr Gast, was ist der Grund für Ihren Zorn?!«

»Wer ist hier ein Korn?! Als ob ich dir vergeben würde, nur weil du mich höflich ›Herr‹ genannt hast!« Edward, der sich plötzlich umgedreht hatte, warf die Kiste weg und versetzte dem Servicewagen, der vor dem Zimmer eines anderes Gasts stand, einen kräftigen Stoß. Ratternd rollte dieser über den Flur und fiel zusammen mit dem Angestellten krachend um.

»Er ist nicht richtig wach …!«

Alphonse bemerkte, dass Edward sich noch im Halbschlaf befand. Zwar hatte ihn der Spruch über den Winzling aus dem Schlaf gerissen, aber offenbar war er nicht vollständig aufgewacht. Da er sich in einem Zustand zwischen Traum und Wirklichkeit befand, wirkte Vernunft bei ihm nicht mehr. Die innere Anspannung, die dadurch entstanden war, dass er sich die ganze Zeit über hatte beherrschen müssen, war nun explodiert.

»Ed, beruhige dich!«

»Erb? Erg … Zwerg, sagst du?!«

»Uwah, das hast du krass verdreht! Was ist nur mit deinen Ohren los, Ed?!«

Nun gab es keine Möglichkeit mehr, ihn aufzuhalten.

»Alphonse, was ist nur mit Edward geschehen?! Was hat ihn so aufgebracht?! Heute Mittag war er doch noch ein wundervoller Charaktermensch?!«, rief der Reporter panisch, der von Edward, der erneut die Kiste aufgehoben hatte, gejagt wurde. Und nicht nur er – Edward verfolgte sogar die anderen Hotelgäste, die den Lärm gehört und in den Flur gelinst hatten, bevor er die Treppe nahm und davonstapfte.

Aus der Ferne waren verzweifelte Schreie zu hören.

»Alphonse, antworten Sie bitte! Wo ist der coole, freundliche, gentlemanhafte Edward nur hin?!«

»Uuh, ich hab Magenschmerzen ...«

Im Hotel, das sich in ein Pandämonium verwandelt hatte, verspürte Alphonse unfassbare Magenschmerzen und hielt sich die Hand an den Bauch.

Etwa eine Stunde nachdem Edward ausgerastet war, hatte die Militärpolizei die Diebe abgeführt. Als sie den verblüfften Edward, der endlich vollkommen aufgewacht war, zu der Angelegenheit befragten, saß Alphonse im Speisesaal dem Reporter gegenüber.

Dieser hatte seiner Tasche den Artikel in der Rohfassung, die eigentlich hätte fertig sein sollen, entnommen und schrieb hier mal eine Ergänzung hinein und strich da mal etwas aus dem Text heraus.

In das Hotel, bis eben noch in einem Zustand des Aufruhrs, war endlich wieder Ruhe eingekehrt. Die hier und dort beschädigt zurückgelassenen Wände und Türen sowie das zerbrochene Geschirr hatte Alphonse repariert. Edward sollte das verwüstete Zimmer aufräumen, sobald die Militärpolizisten gegangen waren.

Der Journalist fasste sein Manuskript neu ab und befühlte dabei gelegentlich die Beule auf seiner Stirn, die er sich bei einem Sturz eingefangen hatte. Als Alphonse sah, dass *liebenswürdig und freundlich*, *sanftes Auftreten* sowie *höflich und anständig* gestrichen worden waren, ließ er niedergeschlagen die Schultern hängen. Statt *Leute der Woche* würde der Artikel vielleicht *Bestie der Woche* heißen.

An der Tatsache, dass der Reporter den Inhalt seines Artikels änderte, jetzt, da er die wahre Gestalt eines der von ihm verehrten Staatsalchemisten gesehen hatte, ließ sich nichts drehen. Schließlich hatte Edward, im Halbschlaf zwar und dazu noch gestresst, sogar komplett Unbeteiligte umhergejagt. Selbst wenn man ihm das Verdienst anrechnete, die Verbrecher geschnappt zu haben, ließ sein maßloses Wüten keinen Raum mehr für Rechtfertigungen.

»Sie dürfen ruhig alles so schreiben, wie es war«, sagte Alphonse resigniert.

»Ja, das werde ich!«

Der Journalist antwortete, ohne auch nur das Gesicht zu heben, und fuhr mit seinem Stift übers Papier. Alphonse erinnerte sich still an die Ereignisse des Tages. Sie hatten zwar vorgehabt, bis zu Scars Auftauchen Gutes zu tun, doch sobald die Zeitung in den Verkauf ging, würde Edwards Image wohl umschlagen und sein Ruf ins Bodenlose stürzen.

Als Alphonse aus tiefster Seele spürte, wie flüchtig ihr Traum gewesen war, und schwer seufzte, erhob sich der Reporter, wohl weil er seine Korrekturen beendet hatte.

»Hier ist der Entwurf. Lesen Sie ihn sich bitte durch, wenn Sie mal Zeit haben.« Unter dem Manuskript holte er ein zweites Blatt Papier hervor, auf das er seinen Text mithilfe von Kohlepapier kopiert hatte, faltete es zweimal ordentlich und reichte es Alphonse.

»Danke!« Obwohl Alphonse das Papier annahm, konnte er sich bereits denken, was darauf geschrieben stand. Er verspürte keine rechte Lust, es an Ort und Stelle zu entfalten.

Ohne den Artikel zu lesen, begleitete er den Reporter zum Abschied nach draußen und machte dann, kraftlos wie er war, auf dem Absatz kehrt, um in sein Zimmer zurückzugehen. Da rief ihn jemand von hinten an.

»Alphonse!« Als er sich umdrehte, stand der Reporter mit seiner Mütze in der Hand vor der Eingangstür zum Hotel auf der von Laternen beleuchteten Straße. »Ich habe alles so beschrieben, wie es war, wie Sie gesagt haben. Obwohl man bei Edward nur schwerlich von einer coolen Elite sprechen kann, seine Ausdrucksweise schlecht ist und er auch eine rabiate Seite hat …« Er brach ab und lächelte. »In gewisser Hinsicht ist er in der Geradlinigkeit seiner Gefühle menschlicher als jeder andere und lässt sogar im Halbschlaf durch sein hartes Vorgehen gegen Bösewichte Gerechtigkeit walten – ein Staatsalchemist, auf den unser Land stolz sein kann«, schloss der Reporter und verabschiedete sich. Dann setzte er die Mütze so auf, dass er die Beule auf seiner Stirn nicht berührte, und ging auf der menschenleeren gepflasterten Straße davon.

»Herr Journalist …« Alphonse blieb allein in der Lobby stehen. In seiner Brust breitete sich langsam ein warmes Gefühl aus. »Vielen Dank!«

Als er sich bei der Gestalt, die in die nächtliche Stadt verschwand, erkenntlich gezeigt hatte, ging Alphonse die Treppe hoch. Die Militärpolizei war bereits gegangen und Stille umgab das Hotel.

Alphonse versuchte möglichst leise zu gehen, um die schlafenden Hotelgäste nicht aufzuwecken. Vorsichtig hielt er den zusammengefalteten Entwurf des Artikels in seiner Hand hoch.

Edward war der Typ, der blindlings drauflosstürmte, und er hatte auch ein bisschen – nein, ziemlich – was Rowdyhaftes an sich. So sehr, dass ihm nicht mehr beizukommen war, wenn er einmal die Kontrolle verloren hatte. Doch wie in diesem Fall gab es sehr wohl auch Menschen, die die Freundlichkeit in seinem Inneren bemerkten. Das machte Alphonse überglücklich.

Der jüngere Elric war vor seinem und Edwards Zimmer angekommen. Beim Drehen des Türknaufs, den er vorhin erst repariert hatte, faltete er die Rohfassung des Artikels auseinander.

»Ed, ich hab den Entwurf bekommen. Wollen wir ihn zus...« Im nächsten Moment schloss Alphonse die Tür wieder. Mit der Hand am Knauf stand er im menschenleeren Flur und starrte den Text auf dem Blatt an.

Wie der Reporter gesagt hatte, beschrieb der Artikel die tatsächlichen Geschehnisse: wie Edward mit Alchemie Gutes getan hatte, die freudigen Worte der Leute, dass er im Hotel selbst im Halbschlaf Bösewichte fing. Es war ein sehr schöner Text, der alles ehrlich beschrieb, ohne es auszuschmücken.

Doch das tat er zu realitätsnah. Über dem Artikel prangte groß die Überschrift *Kleiner Alchemist vollbringt große Taten*.

»...«

Nachdem er die Worte ganze dreißig Sekunden lang betrachtet hatte, faltete Alphonse das Blatt leise zusammen. Er wollte sich nicht einmal vorstellen, wie Edward reagieren würde, wenn er das las. Das war keine Böswilligkeit des Reporters. Andere Leute konnten den Grund für Edwards Raserei unmöglich erraten. Ohnehin gab es kaum jemanden, der so wütend wurde, nur weil man ihn auf seine geringe Körpergröße hinwies. Der Journalist hatte bestimmt angenommen, Edwards schlechte Laune sei darauf zurückzuführen, dass man ihn trotz seiner Erschöpfung aus dem Schlaf gerissen hatte. Doch wenn Alphonse dem ahnungslosen jungen Mann jetzt noch den wahren Sachverhalt erklärte, würde dieser sicher erwidern:

»Wegen so einer Kleinigkeit?«, was wiederum Edwards Kleinlichkeit bewiese.

Alphonse wusste nicht mehr, was er noch auf welche Weise retten sollte. Ganz sicher konnte er aber sagen, dass es außer ihm selbst niemanden gab, der imstande war, Edward aufzuhalten, wenn dieser in den Verlag stürmen und im Firmengebäude herumwüten sollte.

Wenn die Leute überall die Zeitung lasen, würde sich das verbotene Wort bestimmt im ganzen Land als Edwards Spitzname etablieren. Dann gäbe es wieder keinen außer Alphonse, der fähig wäre, seinen Bruder zu besänftigen, der immer, wenn jemand diesen in den Mund nahm, die Zähne blecken würde.

Wenn er so darüber nachdachte, würde sich jetzt auch nicht mehr groß etwas ändern, weil Edwards Ruf bereits vorher schlecht gewesen war. Alphonse tröstete sich mit diesem Gedankenschluss. Wie auch immer – es war sein Schicksal, sich zu bemühen, die Situation zu retten. Da konnte er nur aufgeben und alles so akzeptieren, wie es war.

Mit dem Gefühl, halbwegs Erleuchtung erlangt zu haben, öffnete Alphonse erneut die Tür, um Edward zu helfen, der bestimmt gerade dabei war, das verwüstete Zimmer aufzuräumen.

Da sah er ihn, wie er sorglos schnarchend schlief, ohne etwas von den Sorgen und Ängsten seines kleinen Bruders zu ahnen.

Eine zerbrochene Wasserkaraffe, aufgerissene Koffer, Klamotten in heillosem Durcheinander. Das durch Edwards Ausraster verwüstete Zimmer lag noch immer genauso da. Auf den ersten Blick wurde deutlich, dass sein großer Bruder, erschöpft von seiner Raserei, vom Schlaf überwältigt worden war.

»…«

Dazu fiel Alphonse nichts mehr ein.

Er deckte Edward zu, der mit entblößtem Bauch schlief, und räumte möglichst leise das Zimmer auf. Der junge Elric dachte an den Tag zurück, an dem sich alles Mögliche zerschlagen hatte, und betete aus tiefstem Herzen, dass wenigstens der anfängliche Zweck des Ganzen, nämlich Scars Aufmerksamkeit auf sie zu lenken, sich positiv entwickeln möge.

Wenn es sich die Menschen nur stark genug wünschen, erreichen ihre Stimmen manchmal den Himmel.

Ganz so, als ob Alphonse' Gebet erhört worden war, tauchte am nächsten Tag Scar auf. Dass bei dem anschließenden Kampf ein Teil des Verlagsgebäudes zerstört wurde und der aktuelle Artikel für *Leute der Woche* auf ewig verloren ging, mag vielleicht ein kleines Geschenk Gottes an Alphonse gewesen sein, der sich so abgemüht hatte.

Als Roy und Havoc am darauffolgenden Tag erfuhren, dass die Zeitung eine Weile pausierte, schnalzten sie leise mit den Zungen, da ihnen das Geld durch die Lappen gegangen war, mit dem sie fest gerechnet hatten, um es zu versaufen. Edward, der sich darüber gefreut hatte, in die Zeitung zu kommen, stampfte vor Frust auf.

Nur Alphonse fühlte sich insgeheim von Herzen erleichtert.

Alphonse hat es schwer! – Ende

Nachwort

Guten Tag! Hier ist Makoto Inoue. In diesem Roman war ich so frei, in einen Winkel der von Frau Arakawa gezeichneten Welt von *Fullmetal Alchemist* einzudringen. Hattet ihr ein bisschen Spaß damit?

Nun denn, da ich diesmal nur eine Seite für das Nachwort habe, kommt hier zack, zack die aktuelle Lage! (Nicht meine, die meiner Haustiere.)

Ich beginne als Erstes mit einem Forschungsbericht zum Thema »Gehen Kleinvögel in Münder rein?« aus dem Nachwort des fünften Romanbandes ... Na ja, eigentlich habe ich vor meinem Reisfink einfach nur mal weit den Mund aufgerissen.

Höchst interessiert hat er wie ein Wahnsinniger reingeguckt, doch als ich dann mit offenem Mund fragte: »Gehst du rein?«, hat er mich gepickt, vielleicht weil ihm die Bewegungen meiner Zunge nicht gefallen haben.

Fazit: Mein Kleinvogel hat zwar Interesse an dem Inneren eines Mundes, geht aber nicht rein. Und: Er mag keine Zungen. Eindruck: schmerzhaft. Mehr gibt's nicht zu sagen!

Auch dem Streifenhörnchen geht es gut. Wenn ich es rauslasse, springt es zu mir auf die Tastatur, doch in dem Moment, in dem ich verliebt frage, ob es mir helfen will, tritt es auf die Löschtaste und entfernt in einem Zug etwa fünf Zeilen.

Wenn ich dann einen Verzweiflungsschrei von mir gebe, schaut mir der Reisfink in den Mund hinein und pickt mich.

In solch einem etwas gefährlichen Umfeld arbeite ich (lach).

Da ich nun am Schluss angelangt bin, möchte ich von Herzen Frau Arakawa, die freundlicherweise trotz ihres vollen Terminkalenders den Roman geprüft hat, Frau Nomoto, die mir jederzeit mit großartigen Ratschlägen geholfen hat, allen Beteiligten sowie denjenigen, die dieses Buch gelesen haben, und denjenigen, die mir Briefe geschickt haben, meinen Dank aussprechen. Vielen, vielen Dank an alle!

Makoto Inoue

Nachwort

Hier ist eure wie immer dankbare Arakawa. Durch die ständigen Bemühungen von Herrn Makoto Inoue und vieler weiterer Leute ist auch die Romanversion von *Fullmetal* beim sechsten Band angekommen! Dieses Mal steht vor allem Winry im Fokus. Habt viel Spaß!

Wie Winry in diesem Roman wachsen Menschen, wenn sie Rückschläge erleiden, nicht wahr?

All denjenigen, die ihren Träumen nachgehen: Vorwärts, was auch immer geschieht!

Winry hat den legendären Schraubenschlüssel gefunden!
Angriffskraft steigt um 10.000!
Mädchenhaftigkeit sinkt um 3!
Edwards Bammel liegt bei 5!

Deutsche Ausgabe / German Edition
Altraverse GmbH – Hamburg 2024
Aus dem Japanischen von Elena Müller

NOVEL FULLMETAL ALCHEMIST vol. 6

Redaktion: Madlen Beret
Herstellung: Shanice De Sutter

Druck: Nørhaven A/S, Viborg
Printed in Denmark

ISBN 978-3-7539-0937-0
1. Auflage 2024

www.altraverse.de